回憶錄

大眞相

作者：柯南·道爾（Arthur Conan Doyle，1859～1930）

處處留心皆學問——
福爾摩斯的冷靜智慧

顏世錫

福爾摩斯探案是許多人年輕時代裡鮮明的記憶，也是我早年喜愛閱讀的故事，世界書局在七十年前第一次把它引入中國白話文的世界，如今又重新編修出版。閻初總經理託我爲這套書作序，她是我多年好友，也是我從江兆申老師習字時的小師妹，因此便慨然應允。

故事書中懸疑緊湊的情節，現在讀來仍舊津津有味；但我從事警政工作幾十年來，早已在犯罪的刀光血影中走過千百回，也經歷了各式大小案件，如今重讀此書，感覺最值得玩味的，是福爾摩斯的冷靜、智慧和勇氣。他敏銳的觀察力和縝密的推理分析實是破案的重要關鍵。當然，隨著時代的進步，各種鑑識科技應運而生，爲偵辦工作提供了更多更好的輔助，但這位神探的博學多聞、細心耐心、追求眞理、堅持原則的特質，應該是這套書背後所傳達的重要意涵。這不僅是犯罪偵查人員必須具備的要件，引申到現代生活中，也是一般大眾應該加強的思維。

近年來，治安問題始終是大家關切的焦點，犯罪手法的翻新和犯罪年齡的下降給社會帶來了空前的挑戰。今日，打擊犯罪要靠警民合作，不要妄想仰賴一、二位超人神探，而是要靠許多福爾摩斯的配合——人人都應留意自己周遭的人事物，遇有狀況，冷靜分析，並熱心負起改善治安的責任。青少年朋友更要不盲從、不衝動、多用眼、用腦、用手去開啓自己正確的路。其實，福爾摩斯風靡世界一百年，始終在各個時代裡蟬聯青少年心中的英雄，他永遠光鮮的外表、永遠零亂的書桌、他獨特的衣帽煙斗、千變萬化的喬裝掩飾、冷靜聰明的頭腦、鍥而不捨的作風、濟弱扶傾但尊重法理的俠義精神，不也正符合我們這個時代年輕朋友最「酷」的選擇嗎？與其盲目崇拜偶像，不如冷靜分析什麼是自己該堅持的主張，才不致迷失徬徨。

我想，福爾摩斯雖然是在柯南·道爾筆下塑造的人物，但能跨越時空、歷久彌新，是因爲他以最有趣引人的手法，在許多人的生活中引起共鳴：我們都有探索黑暗與未知的好奇，也都有找出眞相、伸張正義的嚮往；我們都希望具備超人智慧，能先知先覺地解決難題，也都希望在零亂紛擾的疑團中抽絲剝繭地理出邏輯。就在事實與想像裡、在假設與證據間、在科學理論與小說創作下，你我心中都有福爾摩斯的影子！喜見世界書局再一次把他帶進讀者的世界，也希望讀者把他的冷靜、智慧與勇氣帶進自己周遭的世界。

一九九七年十二月二十五日

出版緣起　當福爾摩斯重現世界

閻初

一八四一年，美國，愛倫·坡發表《莫爾格街謀殺案》，偵探小說這個名詞第一次出現。當時，在東方，列強的炮火早已轟開了中國的大門，他們正用鴉片對這個民族進行集體謀殺。林則徐等人企圖緝兇歸案，但終告失敗。

一八八七年，英國，一位身材削瘦、披著斗蓬、叨著煙斗的神探誕生了。當時，正值光緒十三年，慈禧歸政德宗，其實東方也很需要一位智多星，能幫著皇帝懲惡捉奸、撥亂反治。

接著，甲午戰爭、戊戌變法後，晚清的翻譯小說便紛紛出現，一九〇二年，最早的一篇文言福爾摩斯刊登在梁啓超編的《新民叢報》和《新小說》上。

民國十六年，上海，世界書局出版《福爾摩斯探案大全集》，由「中國偵探泰斗」程小青和嚴獨鶴、包天笑等人以白話文翻譯。從此，這位西方的神探便正式進駐龍蛇混雜的十里洋場，而他的傳奇經歷，也快速地傳遍中國各地，成爲家喻户曉的人物。

譯者程小青先生自幼喪父，原本在鐘錶店裡當學徒，工作之餘便到夜校補習英文。他寫作時認眞嚴謹，講究專業精神，除了大量閱讀西方偵探小說外，還特別透過函授，修習美國警官學校的犯罪心理學和偵探應用技術等課程。據聞，每當他開始構思小說情節時，常常跑到杳無人煙之處，苦思冥想，直到倦鳥歸巢，他才返家命筆。透過他的譯筆，福爾摩斯成爲風靡大衆的一個有情、有理、有趣的偶像。

東方古老沈重的社會裡，永遠流傳著包青天、施不全的奇聞軼事，他們是神仙下凡，是老天爺賞給小老百姓的難得恩賜；但洋人筆下的福爾摩斯，卻是科學的、智慧的凡人，他靠冷靜謀略使眞相大白、讓沈冤昭雪、叫惡人伏法，舉凡聰明博學者皆可爲之。福爾摩斯的受歡迎、被認同實也反映了當時社會的背景：問天聽天的封建已被打破，科學民主正是主流，西潮洶湧、人心激盪，而苦難仍是一個接著一個地降臨在小老百姓身上，於是，人們期盼一個合邏輯的救難英雄——福爾摩斯正適合；人們也渴望脫離無解的現實，進入另一個善惡分明、凡事找得到答案的文明世界——偵探小說正是這樣一個非神化的理性空間。

當時的社會背景也符合現在的情境，只是，物慾更横流、道德更淪喪、犯罪更猖狂！

一九九七年，福爾摩斯重現世界，距離他第一次在我們的白話文世界裡出現恰巧七十年，古人說：「七十而從心所欲，不逾矩。」所以，我們在忠於原著並尊重譯者的原則下，將百餘萬字重新順讀潤飾，並修改程小青先生的上海方言、文白夾雜和人名地名的翻譯，以便更符合現代閱讀習慣。我們相信新的口語、新的包裝，將帶給福爾摩斯新生的體魄，再加上他歷久彌新、雋永沈潛的智慧與勇氣，必更能遊刃有餘地展開工作。然而，現代犯罪花樣的翻新、犯罪組織的龐大，豈可靠一個神探解決，所以，世界書局徵召各方好漢，一起來做他智勇雙全的好幫手。

偵探小說向來不被新文學正視，它只是個生活消遣品，但它確實能反應出某些社會意義。百餘年來，我們中國人從那個問天祭天謝天的封建中走過來，掙著敲打出這個民有民治民享的雛局，但目前的自由和法治眼看正在消失，於是在亂相威逼下，人們方才醒悟到在民主社會中，天子可以推翻，但天道不可悖離，個人的小惡、衆人的姑息，必將鑄成大錯，不可收拾。今日我們撥亂反治，也不能只翹首青天，還是要從每個小人物的細心、關心和警覺心做起。這套「化了妝的社會科學教科書」，或許能啓發我們一些敏銳觀察、分析判斷和沈穩處事的能力。畢竟，花繁柳密處撥得開，方見手段；風狂雨驟時立得定，才是腳跟。我們愛這花花世界，總要在變通與原則之間，找出自己安身立命的方法。

福爾摩斯短篇探案

回憶錄

目錄

銀色駒(原名 Silver Blaze)

一天早晨，我們坐下來進餐的時候，福爾摩斯忽向我道：「華生，我恐怕不能不去一趟了。」我問道：「你要出去嗎？去那裡？」「去達特曠地的金斯丕蘭。」

這句話我並不覺得詫異。因爲此時有一件古怪的案子，傳徧了全英國。假使我的朋友不介入這件案子，那才反而讓我感到奇怪。我的朋友一整天都緊蹙著眉頭，低著頭，不停地在室內蹀來蹀去，且不斷地吸煙。他如此凝神，對於我的一切談話和疑問完全像聾子一樣。每一種報紙一出版後，我們的報紙代理商便趕著送來。但我的朋友只約略瞧了一遍，就丟在牆角。他雖然靜默無語，我卻知道他在那裡思考什麼。這時只有這一件奇怪的案子，足以吸引他的興趣，那就是惠山克斯杯比賽中的一隻名駒忽然失蹤，那訓練牠的人也同時被殺。因此，他忽然說要往案發的地點去，這也是在我預期中的。

我說道：「假使我對這事可以盡什麼力，我很樂意和你一塊兒去。」

他道：「親愛的華生，你若能同去，我會很感激的。我也覺得你此行應不致虛費光陰，因爲這件案子確實有幾個特異之點值得注意，我想我們還來得及到柏亭頓車站搭車。在火車上，我可以向你說明這件事情。你若能把你那精緻的望遠鏡帶去，我就更感激了。」

一小時後，我已坐在一節頭等車廂的角落裡。歇洛克·福爾摩斯戴著他的旅行帽子，凝神閱讀他剛才在車站上所購的報紙。這一班火車是往愛克司特去的，等到經過了雷丁車站，福爾摩斯把最後一張報紙塞在座下，取出一根雪茄煙來給我。

他往窗口外瞧了一瞧，又拿出錶來看看，說道：「我們進行得很快。火車的速度每小時五十三哩半。」我道：「我卻沒有注意到計哩數的標桿。」「我也沒有瞧這個。但這一條路的電線桿，每一桿距離六十碼，這樣一算，就再簡單也沒有了。我想你對約翰·史特萊的被殺，和銀色駒失蹤的案子，應該知道了吧？」「我已看過電訊報和紀事報了。」

「我想這件案子，分析事實比收集新的證據更重要。這一齣慘劇奇特而周密，這裡面關係著許多人，所以我們在推解假設方面的確很繁重。最困難的一點，就是把這件案中確實的眞相，從理論思維和記者所擬想的事實中分別出來。我們得到了這確切的基礎以後，再來查究這一件疑案的重要關鍵。星期二晚上我接到兩通電報，一通是馬的主人羅斯上校的，一通是擔任此案的偵探葛利谷的，他特地請我去和他合作。」

我呼道：「星期二晚上嗎？現在已是星期四早晨了，你昨天爲什麼不動身呢？」

「親愛的華生，因爲我轉錯了一個念頭。我這一種錯誤，是那些讀了你的紀載而認識我的人所想不到的，但實際上也算不得什麼。因爲我想，像這樣全英國著名的馬，勢不可能永久被藏著。況且在那荒漠無人的達特曠地，更不容易藏匿這種活生生的東西。昨天一天中，我一直希望得到這馬重新被發現的消息，並希望獲得證據證明這個偷馬的人就是謀殺約翰·

史特萊的兇手。誰知直到今天早晨，除了抓住一個名叫費次洛·辛普生的人以外，竟毫無發展。因此，我覺得不能不動手進行了，但從幾方面看來，昨天一天也不能算是浪費的。」

「那麼，你已構築了一種假設了嗎？」

「我想至少我已得到了這案中的重要事實。我現在可以說一遍給你聽。我覺得若把這案子說給另一個人聽，可以使我對案情更加明瞭，而且我若不讓你知道我們現在的處境，我也不能讓你和我合作的。」

我把身子仰靠著車座的皮墊，嘴裡吐著雪茄煙霧，福爾摩斯把身子向前移了些，伸出他右手細長的食指在他左手掌中劃了幾劃，整理幾個要點，然後再說出下面的故事。

他道：「那匹銀色駒是索拿密種，牠不愧是名駒。這匹五歲的馬好幾次都替牠的主人羅斯上校得到頭獎。直到這一次發生禍變為止，這馬在惠山克斯杯比賽中都拿第一，這種比賽的輸贏，一般都是以三博一。在賽馬場中，牠是一匹常勝的名駒，從來沒有失敗過，所以大家所下的注金，無論多少，總是會賭這一匹馬的。因此許多人都密切注意這匹銀色駒，並打算阻止這匹馬加入下星期二的比賽。這樣的事在金斯丕蘭地方當然大家都知道。上校的馬廄就在那裡，他們對於這匹馬特別謹慎防備。約翰·史特萊是一個退休的騎馬師，他從前常替羅斯上校騎馬比賽，後來因體重增加的緣故才退出，他在上校那邊做了五年的騎馬師，退出以後，便做他的馴馬師，也已做了七年。他是一個熱誠而忠心的僕人。在史特萊手下有三個小童幫助他。那馬廄並不大，廄中一共只有四匹馬。每夜都有一個人坐在馬廄中看守，其他兩個則睡在廐中的閣樓上。這三個人品行都很好。史特萊已經成婚，住在距離馬廐約二百碼的一個小別墅中。史特萊並沒孩子，家中有一個女僕，生活倒也很安適。這地方很荒涼，在北面的半哩路外，才有幾棟別墅式的小屋，那是一個大威斯托鎮的建築包商蓋的，預備給患病的人療養，或喜歡達特曠地空氣的人們居住。大威斯托鎮在馬廐西面的兩哩外。從羅斯上校的馬廐穿過那荒涼的曠地約兩哩路的距離，另有一個較大的開普爾登馬廐。這馬廐是屬貝華德貴族所有，管廐的人名叫雪拉吉・白朗。除了這幾處以外，四面都是荒野，只有那些流徙的吉普賽人散居。這就是那裡的大概情勢。星期一晚上，卻發生了這禍變。那天晚上那些馬照常練習和洗刷了以後，馬廐的門在九點鐘便上鎖。廐中的兩個小孩走到史特萊的家，就在廚房中進餐，另有第三個小孩名叫亨得，則留在馬廐中看守。到了九點過後數分鐘，史特萊的女僕愛蒂・裴克斯，送晚餐到馬廐去給亨得。晚餐中有一盤咖哩肉，並沒有什麼酒，因為馬廐中有水可飲，並且有一條定例，小孩們在工作的時候，除水以外，不許飲別的東西。女僕送餐時提著一盞燈，天色很黑，那條通路又須穿過部分曠地。愛蒂・裴克斯走到靠近馬廐三十碼處，忽見黑暗中有一個人走出來，

黑暗中有一個人走出來

叫她停步。當那人走進了昏黃的光線中時，她

瞧見他像是個上流社會的人，穿著一身灰色的絨衣，戴一頂呢帽。腿上圍著護膝，手中拿著一根沈重的圓頭手杖。她還瞧見他的臉色灰白，態度也驚惶不寧。據她猜想，那人的年紀大約在三十以上。那人問道：『你能告訴我這是什麼地方？我在瞧見你的燈光以前，幾乎打算要睡在這曠地上了。』女僕回答道：『這裡就是金斯丕蘭。你現在和那馴馬的馬廐距離很近。』那人呼道：『當眞嗎？眞是好運！我知道有一個看馬的孩子每夜都睡在廐中的。你現在大概要送晚餐給他。我想你假使有機會可得到一件新衣服，應該不致於客氣吧？』他從他的背心袋中，拿出一張摺疊的白紙。他又繼續道：『那孩子今夜應該拿到這個。你則可以得到一件最美麗的衣服，價格隨妳高興。』她見他這種懇切的態度，被嚇了一跳。趕忙奔過他的身旁，直到那馬廐的窗口——因爲她時常從這窗口裡送餐進去的。那時窗已開著，亨得坐在裡面的一張小桌旁邊。那女僕正想把經過的情形告訴那孩子，那個陌生人已走了過來。他從窗口外瞧到裡面，說道：『晚安，我要和你說一句話。』那女僕發誓說，當時她瞧見他說話的時候，他手中的一小卷紙露出些角來。那守廐的孩子問道：『你到這裡來有什麼事？』那陌生人道：『我的事情，就是可以讓你袋中得到些東西。我知道你們有兩隻馬加入惠山克斯杯比賽，一隻是銀色駒，一隻是栗色駒。你且告訴我，我決不叫你吃虧的。我聽說在五福倫（每福倫一哩八分之一）比賽的時候，栗色駒可以超過銀色駒一百碼。所以你們自己人都把注下在這匹馬。這事是眞的嗎？』那孩子呼道：『原來你是那些可惡的無賴之一！我現在可以教你知道，我們在這裡怎樣盡職的。』這孩子說完，便站起身來，向門口奔去，把狗放開。這時女僕忙逃回屋去，但她邊逃邊回頭瞧視，見那人仍舊在窗前。但一分鐘後，亨得帶了狗出來，這個人已不見。那孩子雖在四周尋找，卻始終不見那人的蹤跡。」

我問道：「且慢，當那孩子帶了狗奔出來時，那馬廐門可是開著沒有鎖呢？」

「好啊，華生，好啊！這一點我當然也覺得很重要，並且特別重視。昨天我拍了一個電報到達特曠地去，查究這一件事，據說那孩子出來時，曾把門鎖上，而且那窗口不大，不足容一個人進出。亨得等到其他兩個小童回來以後，便送信去給他的主人，把經過的事情告訴他。史特萊一聽這事，雖不知道這裡面有什麼企圖，但已非常驚慌，不能安睡。半夜一點鐘他的妻子醒來，見他正在穿衣，問他什麼緣故，他說他因懸念那幾隻馬，不能安眠，因此一定要到馬廐中去瞧瞧，是否完全安妥。史特萊太太叫他不要出去，因為那時她聽見雨點敲在窗上，滴答有聲。但史特萊不聽勸阻，披上一件大雨衣，匆匆出去。到了清早七點鐘，史特萊太太醒時，見她的丈夫仍沒有回來。急忙穿好衣服，叫了女僕，同往馬廐中去。那時馬廐的門已開，小童亨得蜷伏在裡面的一隻椅子上，完全昏迷不省人事，廐中的那隻銀色駒已空，馴馬的史特萊也不知所在。另有兩個小童，本睡在鞍轡室上面的閣樓上的，這時都被叫了起來。這兩個人酣睡極了，因此夜裡並沒有聽見什麼聲音。而亨得顯然是受到強烈麻醉藥的影響，一時沒法甦醒，仍任他睡著。那兩個女子便引了另外兩個小童一同到外面去搜查，她們以爲史特萊也許帶了馬到外面去練習了。但她們上了一個附近的高墩，向四周一瞧，不但不見失去的名駒，卻另見一種景象，告訴她們已發生了慘劇哩。大約離馬廐四分之一英哩的地方，史特萊的外衣在一堆金雀花叢中受風吹動著，於是他們立刻趕過去，到了一處凹形的陷坑旁邊，忽見坑底上有一個屍體橫躺著，就是那不幸的馴馬人了。他的頭顱已經碎裂，顯然被什麼笨重的兇器重擊了一下，大腿上也有很長的傷痕，必是被什麼銳利的兇器所傷。但史特萊的手中也拿著一把小刀，刀上滿沾著血，可見他當時也竭力自衞，和那個兇手搏鬥過一回。他的左手中緊拿著一塊紅黑相間的絲領巾。據那女僕辨認，這領巾就是那晚那個奇怪的陌生客的。亨得在甦醒以後，也說這領巾是那人的東西。他確信當那陌生人站在窗口的時候，必在咖哩羊肉中下了什麼毒，打算讓馬廐的看守人昏迷。至於那失踪的馬，在史特萊被害的坑底，留過幾個蹄印，可見當他們爭鬥的時候，這馬還在旁邊。但以後這馬便不知去向。目前雖已懸賞高額獎金，並且曠地上的那些吉普賽人也都竭力幫忙找尋，卻終沒有消息。後來檢驗的結果查明亨得那孩子所遺留的羊肉中，含有大量的鴉片粉，可見那毒質是臨時加進去的。這些就是案中的幾個重大事實，我說得非常簡明。現在我再把警方處置這案子的行動告訴你。擔任這案子的偵探長葛利谷是一個很有才幹的人，但假使他還有些想像力，他在職務上一定可以升到更高的地位。他到了案發的地點後，就把那個有嫌疑的人捉住。這人名叫費次洛・辛普生，附近的人們都熟悉他，因此抓住他並不困難，他出身很好，又受過教育，但在賽馬場上喪盡家財。現在在倫敦的游藝社會中著書生活。後來檢查他的賭注紀錄，查到他已準備把五千鎊注金下注在銀色駒敗北上。他被捉以後，聲言他所以到達特曠地來，原希望到金斯丕蘭馬廄中探聽些消息，再打算往雪拉司．白朗經管的開普爾登馬廄中去，探聽另一隻聲名較次的淡水蒲名馬。他對於那晚和女僕的談話舉動並不否認，但說並沒有什麼惡意，只是要探聽些消息罷了。後來他見了那條絲領巾，臉色忽然變白，竟說不出這東西怎麼會落在那被殺人的手中。他身上的衣服很濕，顯見他那夜曾冒雨而出。他沈重的手杖是灌入鉛的，儘可做一種兇器，如果連擊幾下，就會造成史特萊受傷。但是，這個辛普生竟沒有任何傷痕。而史特萊的刀上滿沾著血，足見這個兇手至少總會留些刀傷。華生，這就是一個困難之點了。假使你能夠指示些光明，我一定很感激你的。」

我聽了福爾摩斯所說的這一個特殊而簡明的故事，十分入神。雖然大部分的事實我先前都已知道，但我實在不知道這些事有什麼關聯，或者有什麼重要的價值。

我提出看法道：「那史特萊腿上的刀傷或許是在他們爭奪的時候，被他自己的刀刺傷的。你想可近情理？」

福爾摩斯道：「不但近情理，而且可能。假使如此，那嫌疑人惟一可能被控告的證據竟也因此消滅了。」

我道：「但此刻我還不知道警察們有怎樣的想法？」

我的同伴答道：「我怕我們無論有什麼想法，總和他們的相反的。據我所知，警察們認爲這個費次洛·辛普生以藥物迷倒了那孩子，並早就用了什麼方法，得到了一個同樣的鑰匙，開了馬廐的門，就把那銀色駒牽出，並且把這馬藏匿起來。而那馬的鞍韉也已不見，可見辛普生當時是把鞍韉裝到馬身上後，才牽出去的。後來他牽馬出去後，馬廐的門開著，等到經過曠地的時候，忽然遇見了史特萊，或是被史特萊追上，於是他們便打了起來。辛普生用他沈重的手杖擊在史特萊的頭上，史特萊雖有小刀抵抗，卻沒傷到辛普生。然後，或許這偷馬的人把馬牽到了什麼祕密的地方藏著，或是當他們掙扎的時候，那馬忽然自己跑開了，也許此刻仍流落在曠地上。這就是警察們對於此案的見解。除此以外，其他種種推理都不及這一個近情理。但我覺得我們必須到那案發的地點仔細偵查，之後才能定奪，眼前不能下什麼斷語了。」

我們到大威斯托鎭的時候已近傍晚。這小鎭位在那片廣漠曠地的中心，好像一塊盾牌中心的凸點。車站上已有兩個人等候我們。一個人身材高碩，有獅毛般的頭髮和鬍鬚，藍色的眼睛發出銳利的光；另外一個身材比較矮小，狀貌機警，裝束整潔，穿著一件禮服，腿上裹著圈皮，兩頰有些鬢毛，戴著一塊獨眼的眼鏡。那矮小的一個，就是著名的賽馬人羅斯上校；高大的是偵探長葛利谷，他的名聲在英國偵探隊中衆人皆知。

上校說道：「福爾摩斯先生，眞高興你能前來。這一位偵探長已盡了他應盡的職責。而我是爲了替可憐的史特萊報仇，和追回我的愛馬，必須盡我的力，把各條路都搜尋一遍。」

福爾摩斯問道：「可有新的發展？」那偵

探葛利谷道：「我們沒有多大的進展。外面有一輛空車等著，我想趁天黑以前，你最好到案發的地點去察看一下。我們可以在車上細談。」

一分鐘後，我們都已坐在一輛很舒適的馬車中，馬蹄噠噠，穿鎮而行。葛利谷便把案子的情形，從頭至尾說給我們聽。福爾摩斯偶爾問一問，或發出驚呼。羅斯上校向後靠著，交叉著兩臂，他的帽子覆在他的眼睛上面。我則斂神傾聽這兩個偵探的談話。葛利谷構築了一種假設，竟和福爾摩斯在火車中預言的相同。

他說道：「從各方面看來，這個費次洛·辛普生，差不多已在網中。我相信他就是我們假設中的兇手。」

福爾摩斯道：「史特萊手中的刀怎麼解釋呢？」「我們猜想是他跌下去時，自己刺傷的。」

「我的朋友華生醫生，剛才也有這樣的假設。假使如此，這一點更足以證明辛普生有罪了。」

「那當然無疑。他雖沒有刀，自己身上也沒有傷痕，但對他不利的證據卻是堅固確鑿的：他很注意那匹銀色駒，這名駒的失蹤對他有絕大的利益關係；他有用藥迷昏那孩子的嫌疑；他在下雨的當兒又外出過；他有一根沈重的手杖可當武器；他的領巾又在死人的手中發現。我想開庭的時候，只要把這些證據提出，已夠定他的罪了。」

福爾摩斯搖頭答道：「一個聰明的頭腦，可把這些假設完全打破。試想他為什麼要把那馬從馬廐中牽出來？假使他蓄意傷害這匹馬，為什麼不就在馬廐中動手呢？從他身上可搜出了同樣的鑰匙嗎？那鴉片粉是什麼人賣給他的呢？除此以外，他在這地方既是一個生客，又有什麼地方可以藏匿這一匹馬呢？他要叫那女僕傳送給守廄孩子的那張紙，他自己有什麼解釋呢？」

「他說那是一張十鎊的紙幣。在他的錢袋中果然搜出一張。至於你說的其他疑點，並不像你所想的這樣嚴重。他在這地方不能算是陌生的，他在夏天曾經在大威斯托鎮上住過兩次，那鴉片粉也許是他從倫敦帶來的，那鑰匙既已利用過了，自然已經丟掉，那馬此刻也許藏在曠地上的穴坑或廢曠之中。」「他怎樣解釋他的領巾呢？」「他承認這是他的東西，但聲言這是他遺失的，可是有一個新的證據，足見他曾把馬從馬廄中牽出來。」

福爾摩斯忽側耳傾聽。

「我們查出許多腳印，知道在星期一晚上，有一羣吉普賽人曾在離案發地點一哩的地方搭帳夜宿。到了星期二，這些人都已離去。現在我們若假定辛普生和那些吉普賽人是互通的，那麼，他難道不能把馬牽到這些人那裡，那麼這匹馬此刻不是仍在他們的手中嗎？」

「這當然很近情理的。」

「曠地上現在已佈滿了人，準備查視這些吉普賽人。我已在大威斯托鎮和十哩內的各處馬廄中仔細勘驗過了。」

「我聽說另有一個馴馬的馬廄距離很近，是不是？」

「正是，這一點我們當然不能忽略。他們那邊有一隻名叫淡水蒲的名馬，在比賽時略遜銀色駒，所以銀色駒的失蹤，對他們很有利的。那個馴馬師雪拉司．白朗，據說準備在比賽時下重大的注金，並且他和史特萊的感情很壞。但我們已把那個馬廄勘驗過了，查不出他和此案有關的疑點。」

「那麼，辛普生與開普爾登沒有什麼利益關係嗎？」「完全沒有。」

福爾摩斯把背靠著車座，談話便終止了。

數分鐘後，我們的車夫把車子停在一宅小小的紅磚別墅門前。那屋子和馬路相接，且屋簷向外突出，距離略遠處，穿過馴馬場，另有一宅長形灰色瓦房。此外四周全是平緩的荒原，和古銅色垂枯的鳳尾草。這種景色一直延伸到天際，中間惟一點綴的只有大威斯托鎮的屋尖。西面另有一簇屋子，那就是開普爾登馬廄了。那時候我們都跳下車去，只有福爾摩斯仍仰靠著車座，眼睛凝視著天空，正默想出神。後來，我去拉他的手臂，他才直跳起來，匆匆下車。

他見羅斯上校正詫異地瞧著他，便向他道：「請原諒我，我正在那裡做夢呢。」這時他眼光中露出一種異光，神情上又盡力忍著興奮。我素來知道他的行徑的，一見這狀，便知他一定已得到某種線索，不過不知道他從什麼地方得到了。

葛利谷道：「福爾摩斯先生，你也許要立即往案發地點去吧？」「我想我先要在這裡略略耽擱，還要問一兩句話。我想史特萊已抬回到這裡來了吧？」「正是，他此刻還擱在樓上，明天才能驗屍哩。」

福爾摩斯問道：「羅斯上校，他替你服務很多年了嗎？」「正是，我一直覺得他是一個很好的僕人。」「我想你應該檢查過死者的衣袋了吧？」「正是，這些東西都在起居室中，你可以去瞧瞧。」「很好。」

我們都進了前面的一室，圍著中央的桌子坐下。偵探長葛利谷打開一個方形的錫箱，取出許多東西放在我們面前。當中有一盒火柴、一根兩吋的臘燭、一個荊棘煙斗、一隻海豹皮的煙袋，袋中還有半兩長條的卡文迪煙、一隻銀錶連著一條金鍊、五個金幣、一個鉛質鉛筆匣、幾張紙，和一把象牙柄的刀，那剛硬的刀片上，刻著倫敦惠施公司的字樣。

福爾摩斯把這小刀取起來仔細察驗了一會，說道：「這是一把奇異的刀。刀片上還有血迹，想必就是死者手中握著的那把刀。華生，這種刀我想你該熟悉的。」我道：「這刀在我們醫學上叫做眼翳刀。」

福爾摩斯道：「我也覺得如此。這刀刀鋒狹長，本用來做精細工作的。他晚上出來的時候竟帶著這樣的東西，並且不藏在他的袋中。那是很奇怪的。」

偵探長道：「那刀尖上本有一個軟木的圓鞘，我在死者的身旁找到的。據他的妻子說，這刀放在梳妝檯上很久了，他臨出時取在手中。這東西原算不得防身的武器，但當時他既沒有別的適合的東西，也許就帶了這刀出來。」

「這也近情理。但這些紙是什麼紙呢？」

「其中有三張紙是賣草商的收據，有一封是羅斯上校給他的信，還有一張是女服飾店的帳單，數目共三十七鎊十五先令，是倫敦龐德街利蘇麗爾女服飾店所發，是開給德孛休的，史特萊太太告訴我們，德孛休是她丈夫的一個朋友，他的信件往往從這裡轉交的。」

福爾摩斯看著那張帳單，說道：「這個德孛休夫人很闊綽呢。花二十二個金幣購一件衣裳，價格可算不低。這裡似乎也沒有再注意的必要，我們就往案發的地點去吧。」

我們正走出起居室時，有一個婦人在室外

通路上等著，她忽走前一步，伸手握著偵探長的衣袖，她的臉色憔悴而瘦削，並充滿了驚恐的神情。

那婦人喘息道：「你已抓到他們了嗎？你已找到他們了嗎？」

「史特萊太太，還沒有。但這一位福爾摩斯先生剛從倫敦來幫助我們。我們必盡力去做。」

福爾摩斯道：「史特萊太太，我想不久以前，我在普利茅斯一個花園宴會中遇見過你的。」那婦人道：「不是，先生，你弄錯了。」「啊，我敢發誓。你那時穿一件灰色的絲襖，還有鴕鳥羽毛鑲邊。」她答道：「先生，我從來不曾有過這樣的衣服。」「眞的嗎？我果眞誤會了。」福爾摩斯說著，又道歉了一聲，就跟了偵探長走到外面。我們穿過曠地，不久便到了那發現屍體的坑穴。在這坑邊有一叢金雀花叢，那死者的大衣，就鉤在這上面。

福爾摩斯道：「我知道那晚沒有風。」偵探長道：「是沒有風。但雨卻很大。」「這樣，那外衣決不會被風吹到樹叢上去，一定是放上去的。」「不錯，那外衣是被放在樹叢上的。」「這就值得注意了。我瞧這地上有很多腳印，可見從星期一晚上起，有好多人到過這裡。」偵探長道：「我們在屍體邊鋪了一張蓆。我們都是站在蓆上的。」「很好。」偵探長道：「這一個袋子中有一隻史特萊的靴子，一隻辛普生的靴子，還有一個銀色駒的舊蹄鐵。」「好一個偵探長！你眞是太厲害了！」

福爾摩斯說了這句，就把那袋接過，走到坑穴中去。到了那邊，把蓆移得更中間。他隨即彎著身子，用手托住下巴，仔細察驗泥上的足跡，忽然呼道：「哈！這是什麼？」

那裡有一根火柴，已燒去了一半，陷在泥中，起初瞧起來像是一小段木梗。

那偵探長露出一種不安的神情，說道：「我不知道。我怎麼這麼粗心，沒有瞧見這個。」

「這東西陷在泥中，原本是瞧不見的。而我就是要尋找這個。」「什麼？你早先就料到有這個東西了嗎？」

「我本想是如此的。」他說著從袋中取出那兩隻靴子，仔細比對小坑底上留著的腳印，接著他爬上坑邊，又俯身向草叢中瞧察。

葛利谷道：「這裡不會有足印了。我在這坑的四周一百碼內，已仔細察驗過。」

福爾摩斯立直了身子，答道：「當眞嗎？你既然這樣說，我就不必多此一舉了，但我想在天黑以前，往曠地上走走，以便明天可以熟悉這裡的地形。我想把這馬蹄鐵暫時留在我的袋子中。」

羅斯上校見了我同伴這樣從容有系統的工作，已顯出有些不耐的樣子，拿出錶來瞧了一瞧。

他道：「偵探長，我希望你和我一塊兒回去。我有幾個要點要請你見教。更重要的一點，就是我的馬本已參加下一次的比賽，現在是否應當取消。」

福爾摩斯忽作堅決聲道：「那可不必。我一定可以讓你的名馬繼續參加比賽。」

上校鞠了一個躬，答道：「先生，你的高見我很樂意接受。你在這裡散完步後，可到可憐的史特萊家中來找我們，我們再一同乘車回大威斯托鎮去。」

上校和偵探長起身離去，福爾摩斯和我二

人緩緩向曠地而行。那時一輪斜陽已在開普爾登後面沈落下去。前面廣漠無垠的平原，呈現出金黃色。那垂枯的鳳尾草和荊棘上面受著落日的餘光，也幻成深棕色。但對這絢麗的風景，我的朋友竟似完全沒有瞧見。他只是一個人深深地思索。

最後，他說道：「華生，現在我們姑且暫時擱置誰殺死史特萊這個問題，先研究那匹馬的問題。我們如果假定這馬在他們爭鬥的當兒或以後乘隙逃去，那麼，此刻會逃到什麼地方去了呢？馬是合羣的，假使依著馬的本性，若不是回到自己的金斯丕蘭馬廄裡去，就是跑到開普爾登馬廄裡去了。你想這馬會在曠地上亂跑嗎？假使如此，此刻必早已被人瞧見了。若說這馬是被那些吉普賽人藏匿了，也覺得不合事理。因爲這些人最不願和警察們接近，每逢地方上有了什麼亂子，他們總設法避免，不願介入。況且這樣有名的馬，他們也決不可能販賣。他們假使得到了這匹馬，不但無益，反而冒了很大的危險。這是非常明顯的。」

「那麼，這馬此刻究竟在什麼地方呢？」

「我已說過，牠必已往金斯丕蘭或開普爾登馬廄裡去了。現在牠既然不曾回金斯丕蘭，大概已往開普爾登去了。我們姑且依著這個假設進行，試瞧有什麼結果。那探偵長說過，曠地的這一部分土質非常堅硬，但在開普爾登的方向，地形低斜，比較柔軟。你瞧，那邊有一個長的陷坑。在星期一晚上，那邊一定很濕。假使我們的料想沒錯，那馬必曾從那裡經過，我們可從這一點上確定我們找尋牠蹤跡的方向。」

我們一邊談話，一邊行走得很急。數分鐘

後，已到了福爾摩斯所指的窪地。他請我從窪地的右邊兜過去，自己則走左邊。但我還沒走五十步，忽聽見他叫我，又見他向我招手。原來他面前的軟泥上面，有一個清晰的馬蹄印子，他把袋中的蹄鐵取出來一比，完全吻合。

福爾摩斯道：「這一點可見得假設的價值了，葛利谷所缺少的也就是這點。我們起先料想如此，就依照了我們的假定進行，現在結果證明有理，我們再繼續下去。」

我們走過了這個窪地，又經過了一片四分之一哩乾硬的土地。地形就向下傾斜，我們又再一次發現那蹄印，再向前進，約有半哩光景，印跡便不見了。可是到了近開普爾登馬廄的地點，那先前的蹄印又重新顯現。這一次也是福爾摩斯首先發現的。他站住了指著那印，臉上露出一種得意的神情。我見那馬蹄的旁邊另有一個人的足跡。

我呼道：「那馬起先是獨行的。」「正是，他起先是獨行的。哈，這是什麼？」

那兩種足印忽然轉了方向，朝金斯不蘭馬房。福爾摩斯吹著口哨，我們一塊兒跟著那足跡前進，他的眼光緊盯著足跡，我卻偶然向旁邊一瞧，忽見這兩種足跡又折回來，走回原來的方向。

福爾摩斯聽了我的指示，應道：「華生，你的觀察力也不錯。你使我們少走了不少路。現在我們再回去吧。」

我們跟著足印前進，沒有多遠，那足印便停在一條石徑前面，那石徑就是通往開普爾登馬廄的。當我們走近的時候，有一個馬夫從廄屋中奔出。

那人厲聲道：「我們這裡不許有閒人逗

留。」

福爾摩斯把食指和拇指插在背心袋中，答道：「我只要問一句話。假使我在明天早晨五點鐘來見你的主人雪拉司・白朗，會不會嫌太早呢？」

那馬夫道：「先生，祝你好運！他是習慣早起的，但容易動怒。你不可能輕易見他。先生，他在這裡，可讓他自己回答你的問題——不，先生，不，你不能讓他見我拿你的錢。如果你要給我——請稍等一下。」

福爾摩斯正想把他從袋中取出來的半克朗重新放進袋中去時，有一個面目兇獰的老人從大門裡出來，手中執著一根獵杖，正自轉著。

他呼道：「達森，幹什麼？不許閒談！快去做你的事！你們——你們到這裡來做什麼？」

福爾摩斯用極和婉的語氣答道：「我的好先生，我只要和你談十分鐘。」

「我沒有工夫和每一個閒人談話。我們這裡容不得陌生人。快滾！否則，我就放狗咬你們。」

福爾摩斯把身子略仰前些兒，附著他的耳朵說了幾句。他猛地一震，臉色頓時漲紅。呼道：「胡說！這眞是胡說八道。」「很好！我們是要在這眾目睽睽的地方來辯論呢，

快滾！

還是到你客廳中去談呢？」「唉，既然如此，不

妨進來。」

福爾摩斯笑了一笑。他向我道：「華生，我決不會讓你久等的。白朗先生，現在我可以聽你的解釋了。」

他進去足足有二十分鐘。當福爾摩斯和白朗重新出來的時候，天上的紅光都已變成灰褐色，我從來沒有見過在短促的時間中，一個人的態度竟會完全改變——像這雪拉司・白朗的樣子。他的面容已變成死灰色，額角上滿綴著汗珠，他的手也顫抖不止，手中的一根獵杖，好像風中的樹枝。他先前那種霸道傲慢的態度完全消失。他緊依在我的朋友的身旁，眞像一隻狗跟隨著他的主人。

他道：「你的吩咐我可以辦到，一定可以辦到。」福爾摩斯瞧著他，說道：「不許有錯。」白朗瞧著福爾摩斯的眼睛，顯出一種畏懼的樣子，答道，「不，當然不會錯。我會出場。我現在要改變它嗎？」

福爾摩斯想了一想，忽然縱聲大笑道：「不，不必，這一點我會再寫信通知你。現在不要再搞什麼花樣，否則……」「啊，你儘可信任我！儘可信任我！」「那個日期以前你得照顧這個東西，像照顧你自己的一樣。」「你儘可以放心。」「好，我信任你。你明天可以聽到我的消息。」他說完轉身便走，對於白朗伸出的那隻顫抖的手竟不理會。接著，我們便急忙回金斯丕蘭去。

我們回去的時候，福爾摩斯告訴我道：「一個外表像白朗那麼魁梧的人，內心卻又如此怯弱，實在是我難得瞧見的。」

「那麼，那馬可是在他那裡嗎？」

「他起先還想抵賴，但聽我把他在那天早

晨的舉動逐步說明以後，他便以爲我早在暗中監視著他。你已瞧見那蹄印旁邊的人的足印是一種方頭的靴子，那印和他足上所穿的靴子恰好相合。況且像這樣的事，他手下的小馬夫們決不敢做。我根據他本有的早起習慣，對他說：『那天他第一個到外面來，忽瞧見曠地上有一隻馬在那裡亂走，他就走過去瞧。這時出他的意料，那馬的頭部竟是純白，也就是那匹著名的銀色駒。他早在自己的淡水蒲上下了注金，因爲只有這一隻銀色駒，才有勝過淡水蒲的可能。不料這惟一的敵馬，竟會落到他的手中。當時他的第一個念頭是想把馬牽回金斯丕蘭去，但忽又轉念，不如暫時藏匿這匹馬，等到賽馬期過了再說。於是他就將馬牽回來，放在他的開普爾登廄中。』我把這情形一一說明以後，他便不敢再賴，只希望能保全自己了。」

「但他的馬廄也曾經被搜過呀？」「他是一個養馬的老手，當然有方法掩蔽。」

「那麼，他既蓄意要傷害這銀色駒，你放心把這馬留在他手中嗎？」

「我的好朋友，他現在既然怕受責，我料他必竭力保護這匹馬。他知道他得到赦免的希望全在這銀色駒的安全上。」

「我瞧羅斯上校的爲人不像是肯輕易赦免人家的。」

「這件事不取決於羅斯上校的處置。我可依照我的方法。我報告或詳或簡，儘可憑我自主。這就是我們非官家偵探的方便處。華生，我不知道你是否覺察，上校對我的態度略有些輕視。我現在也打算和他開一個小小的玩笑。你不必向他說起銀色駒的事。」「你既不允許我說，我當然不說。」

「這一件事，比起約翰‧史特萊被殺的問題，自然是一件小案子了。」

「那麼，你現在可打算接著偵查這個大問題了？」

「不，你的話恰好相反，我們就要乘火車回倫敦去了。」

這句話眞出我的意料之外。我們到了這德文郡的達特曠地才只有幾個鐘頭。他允諾幫忙這嚴重的案子，現在卻又放棄不幹，我實在不明白他有什麼意思。我們回到那死者的屋子以前，他竟絕口不談這事。到了那裡，那上校和偵探長都在客廳中等待我們。

福爾摩斯道：「我的朋友和我打算乘半夜的快車回倫敦去了。我們已飽吸了達特曠地的新鮮空氣了。」

那偵探長一聽，張大了眼睛。上校卻撇著嘴，顯出一種輕蔑的態度。

他道：「你對於捕獲謀殺史特萊的兇手之事，可是已絕望了嗎。」

福爾摩斯聳了聳肩，答道：「這裡面有許多困難。但我對於你的馬加入星期二比賽的事已確有把握。故請你早些預備好騎師才是。你可以給我一張約翰‧史特萊的照片嗎？」

那位偵探長從袋中取出一張照片給福爾摩斯。

福爾摩斯道：「我的好葛利谷，你竟能預知我一切所需要的。現在我請你在這裡略待一下，我有一句話要問那女僕。」

福爾摩斯剛走出了客廳，羅斯上校忽鹵莽地說道：「我敢說我對這一位倫敦專家已有些失望了。我們現在的情形不是和他未到以前一樣沒有進展嗎？」

我道：「至少總有一些進展。你已確定你的馬必能加入比賽了。」

上校聳了聳肩，答道：「不錯，我已得到了他的保證。但我寧願現在就得到那匹馬。」

我正想說一句話替我的朋友辯護，忽見他又進來了。

他說道：「先生們，現在我準備往大威斯托鎮去了。」

我們剛要走上馬車，有一個看廄的孩子幫我開了車門。福爾摩斯好像想到了什麼，他仰著身子，伸手拉著那孩子的衣袖。問道：「你們那場中是不是有幾隻羊?誰照料這些羊呢?」「先生，是我照料的。」「你近來可覺得有什麼異樣呢?」「先生，沒有什麼，但有三頭羊跛足了。」

我覺得福爾摩斯似很得意。他喉中咯咯作聲，兩隻手也互相搓著。

他拉著我的手臂，說道：「華生，這一槍打得多麼遠啊!葛利谷，這羊羣中發生了奇怪的傳染病，你應該注意一下才是。車夫，快加鞭前進!」

羅斯上校的臉上仍舊顯出那種不信任我朋友的本領的神色。但那偵探長的樣子卻似已引起了幾分注意。

他問道：「你想那羊的跛足問題，是重要的嗎?」福爾摩斯道：「當然如此。」「此外你可還有別的要點要我注意呢?」「馬廄中的狗。在夜中有一件奇怪的事，也是值得注意的。」「那狗在夜中並沒有什麼奇怪的事呀。」福爾摩斯道：「這就是奇怪之點了。」

四天以後，福爾摩斯和我乘了火車，往溫徹司特去看惠山克斯杯的比賽。羅斯上校已應了我們的約，在車站上等待。我們坐了他的馬車往賽馬場去。他的面色凝重，態度十分冷淡。說道：「我還沒有瞧見我的馬哩。」

福爾摩斯道：「我想你瞧見了你的馬後，總認得出吧？」上校惱怒地道：「我玩這賽馬的玩意兒已二十年了。卻從來沒有聽過這樣的問話。雖是一個孩子也知道銀色駒的頭部是純白而前腿有斑點。」

「那麼，比賽的注金怎樣？」「這是最奇怪的。昨天對於銀色駒的投注，本來十五博一，後來卻越來越少，此刻只剩以三博一了。」

福爾摩斯道：「好，這分明已有人知道內幕了。」

我們的車子到了賽馬場的看台附近，我瞧見賽馬牌已高高標起。牌上寫著道：

惠山克斯杯比賽

預賽每人納五十鎊。馬的年齡以四、五歲爲限。第一名，獎杯外另得一千鎊獎金。第二名，三百鎊。第三名，二百鎊。賽程：一又八分之一英哩。

一　牛頓的黑人　（紅帽赭衣）

二　渥德洛上校的拳師
（淡紅帽藍黑色相間的上衣）

三　貝華德勳爵的淡水蒲　（黃帽衣袖）

四　羅斯上校的銀色駒　（黑帽紅衣）

五　鮑爾瑪公爵的虹霓
（黃色黑條的上衣）

六　辛格福勳爵的大銼刀　（紫色黑綢）

上校道：「我們姑且相信你的話，並沒準備以別的馬替代。那是什麼！銀色駒？」

這時場中人呼道：「銀色駒，以五博四；淡水蒲，十五博五。」

我呼道：「號數都出來了，六隻馬都出場哩。」上校很驚駭地呼道：「六隻都出來了嗎？那麼，我的馬也在其內了。但我還沒有瞧見他。我的那個顏色的馬還沒有經過哩。」我道：「才走過了五隻馬。現在來的這隻一定是你的馬了。」

當我說的時候，有一隻勇健的馬從我們面前奔馳而過。那馬上的騎師果眞是羅斯上校的黑帽紅衣騎士。上校呼道：「這不是我的馬啊！這馬的身上沒有一根白毛！福爾摩斯先生，你究竟在做什麼？」

我的朋友仍很安靜地答道：「好，好，我們且瞧牠跑的怎樣。」他說完，取了我的望遠鏡，向賽馬場中瞧了一會。他忽然呼道：「好啊，他們出發了！你們瞧，他們從那裡彎過來了。」

我們從馬車上遠望，見那馬一直衝過來，看得非常清楚。那六匹馬擠在一起，彷彿用一塊地毯便可把他們蓋住。但到了一半光景，那黃顏色的淡水蒲已竄到了前面。可是在他們跑過我們面前時，羅斯上校的銀色駒奔騰而出，超過了淡水蒲。那淡水蒲再也追不上，得了第二。第三名是鮑爾瑪公爵的虹霓。

上校以手掩著他的眼，喘息道：「這樣看來，果眞是我的馬了！但我實在摸不著頭緒。福爾摩斯先生，你此刻還要保守祕密嗎？」

「上校，這其中的內情你當然應該明白。現在我們過去瞧瞧那馬再說。」於是我們一同到那秤馬處去。這地方只有馬主和馬主的朋友們可以進去。福爾摩斯到了裡面，便指著一隻馬道：「就是牠，你只要用酒精在牠的頭部和腿部洗一下子，便可以回復你的愛馬的本來面目了。」

上校道：「你眞弄得我莫名其妙了。」「我在一個竊馬人的手中查見了牠，後來就擅自作主，讓他照舊到這裡來比賽！」「我的好先生，這眞是太神奇了。這馬果眞健全如常。他奔馳的速力從來沒有比今天更快。我先前對於你的能力有些懷疑，實在應向你道一千個歉。你幫我找回了我的馬，我非常感激，但假使你能把殺害史特萊的兇手捉住，那我更感恩不盡了。」

福爾摩斯冷然答道：「我已幫你查出來了。」

上校和我一聽這句話，都不由得以驚異的目光瞧他。

上校呼道：「你已查明了嗎？他在那裡呀？」「在這裡。」「這裡？在那兒？」「眼前正和我們在一塊兒。」

上校忽又漲紅了臉發怒，他道：「福爾摩斯先生，我承認我很感激你的好意，但你這一句話，若不是一句不得當的笑話，那就是侮辱我了。」

福爾摩斯笑道：「上校，你放心。我不是說你是犯罪的人，眞兇此刻正站在你的後面呢。」

上校轉身過去，舉起手來，恰好在那從橫欄裡突出來的馬頭上面。

上校和我同聲呼道：「馬！」「正是，正是這馬。我敢說這馬是因自衛的緣故而如此，他的罪應減輕點。至於約翰・史特萊，你未免過於信任他了——鈴又響了——我想在下一場比賽中稍爲贏一點。我找別的適當的時候再向你解釋吧。」

那天傍晚，我們便乘了普而門車一同回倫敦去。我想那羅斯上校也像我一樣，覺得這一次的路程很短。因爲在這當兒，我的朋友把他查明星期一晚上達特曠地上失馬案的情節，一節一節解說出來，我們都聽得出神。

他說道：「我承認我起先憑著報紙的消息而成立的假設完全是錯誤的。但事實俱在，只不過被別的事情掩蔽，才一時找不出眞相。當我到曠地上去時，腦中也以爲費次洛・辛普生是這案的眞兇，不過在證據方面，我還覺得不夠充足。這假設我是在馬車中成立的——我們剛到史特萊屋子的時候，我忽然想起了那咖哩羊肉。你們應該記得，那時你們都已下車，我卻在車中想得出神。那時候我正想到這樣一個明顯的線索，我竟忽視不覺。因此之故，我的想法不知不覺就集中在這一點上了。」

羅斯上校道：「老實說，我聽你這樣說，還是不明白。」

福爾摩斯繼續道：「這就是推理中的第一個環節。試想，那鴉片煙粉，並不是完全無味的。它雖不難聞，但服食時總有味道。如果把這東西加在平常的食物裡面，吃的人一定能夠辨別出，然而咖哩卻有掩蓋鴉片味道的功用。那麼，那辛普生可是因爲要下鴉片粉的緣故，特地讓史特萊家裡的人那晚上故意做咖哩羊肉？或是他身上帶著鴉片粉，恰巧見那晚上有咖哩的食品，因而就乘機下毒呢？這兩種假設，一種是不可能的，一種也末可太巧了，實在都不近情理。所以辛普生實在與此案無關，我就把他撇開，把我的眼光注意到史特萊夫婦身上。因爲這咖哩羊肉一定是他們倆決定煮的，並且鴉片粉只加在那守廐孩子的食物中，其他兩個孩子雖吃同樣的東西，但無異狀，也可知這舉動只有這夫婦二人可以悄悄施行。但我還不知道究竟是史特萊自己，還是他的妻子背著女僕，把鴉片粉攙進羊肉裡去的？我在解決這個疑問之前，又想到那狗的靜默不吠這件事。須知我們探案，往往可從一條線索上引出其他事來的。我因爲從辛普生探問的事上，知道馬廐中有一隻狗。但在半夜時分，有人從馬廐中牽了一隻馬出去，那狗竟不吠？以致於閣樓上的兩個孩子並沒有驚醒，所以也是一個可注意的要點。這分明告訴我那個半夜裡進去牽馬的人，一定是狗所熟識的。這時我差不多已確定是史特萊在半夜到馬廐裡去，把銀色駒牽出。他有什麼目的？那不消說是不懷好意了。否則，他爲什麼用鴉片粉迷昏那守廐的孩子呢？但他究竟有什麼用意，我還猜想不到。以前已有過許多這樣的案子，馴馬的人把巨資託給別人，和他自己的馬相博，等到比賽的時候，故意不讓自己的馬得勝。有時串通騎馬師作弊，有時更有其他厲害的方法。這案子中的目的是什麼呢？我希望他的衣袋中的東西可以幫助我構成一種結論。我的希望果眞不虛。你應該不會忘記，從死者手中發現的那把奇怪的刀，像這樣的刀，若不是瘋狂的人，決不會把他當做武器的。據華生醫生告訴我們，這種刀在醫學上是用以施行精細手術的，因此這把刀在那天晚上也是爲了施行手術用的。羅斯上校，從你的賽馬經驗中，你該知道假使小心地在馬腿上刺傷一條細筋，勢不會露出什麼痕迹的。那馬受了點傷以後，奔跑時自然不免減色，或是有些兒微跛，但不致有重大的危害的。」

上校呼道：「啊！惡漢！流氓！」

「現在我們已知道約翰・史特萊爲什麼要把馬牽到曠地上來。像這樣一匹矯健的馬，一受刀刺，勢必要跳叫起來，驚醒熟睡中的人。所以這件事他必須要到外面來幹的。」

上校呼道：「我眞是瞎了眼！難怪他需要蠟燭和火柴了。」

「那當然，我檢驗他所有的東西，不但查明了他犯罪的方法，還探明了他犯罪的目的。上校，照常情而論，別人的帳單決不會放在身上的，因爲金錢的問題，總是自己處置，決不會轉勞他人的。於是我就料想史特萊大概過著重婚的生活，而且另有別館。我從那帳單上看查，知道這裡面還有一個喜歡揮霍的女子。你對於你雇用的人也許很慷慨，但若說你的僕人，出二十個金鎊買一件衣服給他的女人，那畢竟太不近情理。我曾問史特萊太太，但她對這件衣服並不知道，可見不是買給她的。所以我記下那女服飾店的地點，又帶了史特萊的那張照片，料想只須往那邊走一趟，這個神祕的德宇休先生的問題就立刻可以解決了。從這事以後，一切都很明顯了。史特萊把馬牽出來，到了那個坑穴裡面，以便他的燭光不致被人瞧見。辛普生在逃走的時候，掉落了他的領巾，這領巾被史特萊拾起，也許是要用來裹紮馬腿的。他到了坑穴裡面，站在馬後，點著了蠟燭。但那馬忽然見光，不由得驚駭起來，或許因這馬特異的本能，覺得將有什麼惡意的舉動，便舉蹄亂踢，那蹄鐵便踢在史特萊的頭上。那時雖然下雨，他卻已脫了外套，預備做他那件精細的工作。他剛取刀在手，準備動手，忽然被踢跌倒，他的刀就刺在自己的腿上。我說得可清楚？」

上校呼道：「好啊！好啊！眞像是一同在場的。」

「我承認我的最後一顆子彈，打得很遠。我推測像史特萊這樣狡猾的人，在實施這種精細的刺筋手術以前，必會有些練習。他怎樣練習的呢？我偶然見場上有幾隻羊，經我一問，不料我這假設竟也符合了。」

「福爾摩斯先生，你說得再清楚沒有了。」

「我回到倫敦以後，就往那女服飾店去。那店主人見了史特萊的照片，立刻認出他就是那個很好的主顧，只知道他叫做德孛休。那店主人又告訴我，德孛休有一個妻子，在服飾上非常考究。我想是因這個婦人，才讓他負債累累，並且做出這種不誠實的事來。」

上校又道：「你一切都說明了。但有一點，我還不很明白。那馬藏在什麼地方呢？」

「這馬逃走以後，便被你的一個鄰居捉住，後來就幫你養著。我想這一點我們就赦免了他吧。我如果沒有看錯，這裡已是克蘭泊海車站了，不到十分鐘，我們就可到維多利亞站了。上校，你如果願意到我們家裡去吸一根雪茄，我還可把別的有趣的事說給你聽哩。」

黃臉人（原名 The Yellow Face）

若要我發表我的同伴的許多奇特而具戲劇性的案子，自然要揀選他成功的方面來說。我所以如此，並不是爲了顧全他的名譽——因每在智窮計絕的時候，他的努力和機變，更令人感到驚奇，而是因他失敗的案子，別的人更沒有成功的希望，而那案子也就永遠沒有結果，自然無法記錄下來。但也有些案子，他起初雖然失敗，到後來案子的眞相卻仍大白。這樣性質的案子，我已記過好幾篇，像「故家的禮典」一案便是。現在所記的這一案，有幾種特異之點，也是很有趣的。

歇洛克·福爾摩斯向來不會爲了運動的緣故而運動。但他的體力很好，尋常的人都比不上他。他確實是一個精於拳術的人，我從來沒有見過像他這樣的體重，而拳術比他更精妙的。他認爲盲目的身體運動只是虛耗力量，所以除非有他的職業目的，否則他不肯輕易運動的。他這樣的養生方法，實在很奇特。他除了偶爾注射「古柯鹼」以外，實在沒有別的不良嗜好。每逢案事淸閒、報紙新聞枯燥乏味的時候，他便要藉這一種藥物來解除生活的單調。

初春的一天，他居然破例和我到公園散步，那時榆樹已萌茁綠芽，栗樹上五瓣形的新葉也正在那裡舒展。我們閒行了約有兩個鐘頭，園中非常安靜，正適合知己們把臂淸遊。我們從公園回到貝克街時已是傍晚五點鐘了。

我們的小僮爲我們開門的時候說道：「先生，有一位先生來找你。」

福爾摩斯以抱怨的眼光瞧著我，說道：「唉，午後的散步，有什麼益處！這客人走了嗎？」「正是，先生。」「你沒有叫他進來嗎？」「先生，我邀請他了，他也進來過的。」「他等了多久？」「先生，他等了半個鐘頭。他很急躁，在這裡的時候，不停地在室中踱來踱去。我在門外等，因此聽得見。後來，他奔出來，呼道：『難道這個人永遠不來了嗎？』先生，這是他說的話。我因答道：『你只需再等一會兒。』他又道：『那麼，我寧願到外面空曠地方去等他。在這裡我覺得要悶死了，我等會兒再來。』他說完便出去了，我雖勸阻，也留不住他。」

福爾摩斯說道：「好，好，孩子，你應付得很好。」我們到了裡面，他又向我道：「華生，這事眞令人遺憾，我正希望有一件案子，而從這個人不耐的神情上推測，似乎有什麼重要的案子。哈！這桌子上的煙斗不是你的，這東西一定是他留下的。這是一隻很好的老煙斗，斗柄很長；柄的質地——那些煙草商稱它是琥珀。我不知道倫敦城中有幾隻眞琥珀的煙嘴。有人說眞琥珀裡面應包著蒼蠅，這個人應該很珍愛這一隻煙斗的，此刻竟遺忘了，可見他心裡驚亂不安的程度了。」

我問道：「你怎麼知道他珍愛這煙斗呢？」「據我看來，這煙斗的價值大概值七先令六便士。你瞧，他修補過兩次，一次在木柄上，一次在琥珀柄上。你也可瞧見這兩處都是用銀箍修補的，可見修補的代價比煙斗的原價大多了。試想他情願多花錢修補，卻不願另買一隻新的，可見他十分珍愛這煙斗了。」

我又問道：「還有別的嗎？」這時我見福爾摩斯把那煙斗翻覆瞧視，又用他細長的手指在煙斗上彈著，眞像一個大學教師正在講授動物骨骼的課一般。

他道：「煙斗往往有特別的趣味。除了錶和靴帶以外，沒有比煙斗更足以表示個性的東西了。但這煙斗上的特徵，並不怎麼特別和重要。這煙斗的主人是一個身強體壯的人，平日慣用左手，牙齒很好，有點粗心大意，經濟寬裕所以沒有節儉的必要。」

我的朋友說出這幾句話時一點也不疑遲。我見他斜睨著我，似瞧我是否贊同他的說法。

我道：「你可是因他用了一隻七先令的煙斗，就判定他是一個有錢的人？」

福爾摩斯答道：「不是，這是格洛司文板煙，價値八便士一兩。」他說著，把煙斗放在他的掌心中拍了些煙灰出來，又道：「他只需出這一半的代價就可吸上品煙了，但他卻偏好格洛司文板煙可見他經濟的富裕了。」

「那麼，你說的其他幾點呢？」

「他吸煙時常有在油燈和煤氣燈上點火的習慣。你瞧，這煙斗的一面都已燒焦了。假使用火柴燒煙，就決不會這樣。試想用火柴燒煙，怎麼只燒在煙斗的一邊呢？但你如果在燈上引火，煙點燃了，煙斗便也有了焦痕。又這焦痕只在煙斗的右邊，因此，我知道他是一個常用左手的人了。你是慣用右手的，現在試用你自己的煙斗在燈上引火，那燈的火光，自然要燒在煙斗的左邊了。你也許有時換另一隻手，但只是偶然的，大半時候你還是用右手。這痕只偏在一面，便是專用左手的憑證。還有那琥珀柄上的齒痕如此深，可見他是一個強健有力的人，並且牙齒很整齊。現在我如果沒聽錯，他已上樓了。現在，我們一定可以聽見些比這煙斗更有趣的問題了。」

不一會，我們的室門開了，有一個高大的少年進來。他穿著一身精美而素樸的深灰色衣服，手中拿一根棕色的手杖。我猜他的年紀大約三十，事實上他還比我所猜的大好幾歲。

他顯出不安的樣子，說道：「我請你寬恕。我想我應先敲一下門——對了，我應當先敲門通知的。現在我如此冒昧，實因我心神不寧，請你原諒我。」他把手按在他額上，彷彿頭暈眼花，接著，他便倒在一張椅子上。

福爾摩斯和婉地道：「我覺得你已一兩夜沒有睡了，這實在很傷身的。失眠的事，原比工作和尋樂更加傷身。請問我有什麼可以爲你盡力的呢？」「先生，我要請你指示。我不知道應怎樣處置，我的全部生活好似已經粉碎了。」「你要我當一個諮詢的偵探嗎？」「不但如此，你是一個見聞廣博的人，我要請你賜教。我要知道我以後應怎樣做，願上帝能讓你幫助我。」

他說話的時候，短促而急切，似乎說得非常痛苦，並且竭力壓制他的情緒。

他道：「這是一件很瑣細的事。論情，一個人不應把家事對陌生人說，而現在我要把我妻子的行徑向兩個從來沒有見過面的人說，更覺得難堪。但我已到了智計窮絕的地步，不能不向人求教了。」

福爾摩斯說道：「親愛的葛倫特·孟洛先生……」

我們的來客忽從椅子上跳起身來，他驚呼道：「什麼？你已知道我的姓名了？」

福爾摩斯微笑答道：「假使你想隱藏你的姓名，那麼，請你以後不要把姓名寫在你的帽夾上，或是你脫帽的時候，不要把帽夾朝外才好。我正要告訴你，我的朋友和我二人，在這一間小室中，已聽過了好多奇怪的祕密。並且我們常很幸運，讓那些悲傷的人們得到平靜。我深信我們也可以爲你盡力。現在時間緊迫，你不要再耽擱，就把事情說出來吧！」

我們的來客把他的手放在額上，好似覺得這一點非常困難，我從他的姿態神色上觀察出，他是一個自視高而持重的人。他有點驕傲，寧可把傷痛隱藏起來，也不肯輕易宣露出來。後來他忽然緊握了兩手，似決定放棄他的驕傲，開始說他的故事。

他道：「福爾摩斯先生，這件事是這樣的。我是一個已婚的人，結婚已三年了。在這三年中，我的妻子和我非常恩愛，生活上也很愉快，任何夫妻都及不上我們。我們的思想、言語和行爲都非常契合，可是自從上星期一起，我們之間竟發生了某種障礙。我覺得她的生活和思想中，有幾處我竟完全不知，彷彿她是一個偶遇的婦人，我完全不知她的底細，於是我們疏遠了。我很想徹究其中的底蘊。福爾摩斯先生，我在說起其他的事以前，有一點必須讓你明瞭。我的妻子愛菲是愛我的，這一點你切不可存什麼誤會。她憑著她的心意和靈魂愛著我，此刻仍是這樣。我知道，我也覺察得到。這點上我不許別人疑惑或辯難。一個男子受了女子的愛，是很容易覺察的。不過我們中間，有一重祕密。在這祕密未破除以前，我們無法回復舊狀了。」

福爾摩斯有些不耐的樣子，說道：「孟洛先生，請把事實告訴我吧。」

來客道：「我先把我所知道的愛菲的歷史

告訴你。我最初遇見她時，她是一個寡婦，不過年紀很輕，只有二十五歲。那時她是希孛龍太太。她從小就去美國，住在亞特蘭大，並在那裡嫁給這個希孛龍。他是位律師，生活很好，他們生了一個孩子，可是那地方發生了一種厲害的黃熱病，她的丈夫和孩子都因這病而死。我見過她丈夫的死亡證書，後來她因住在美國會引起她的悲思，就回到了英國，在密特賽克的平納城和她一個未出嫁的姑母同住。我還須說，她的丈夫留給她豐富的財產，共有四千五百鎊，並且他生前投資得利，每月平均有七釐的利息。我遇見她時，她到平納還只有六個月，我們產生了感情，數星期後便結婚。我是一個販麻的商人，每年的進款有七八百鎊。我們就在諾白蘭地方租了一間每年八十鎊的小別墅，生活過得非常安適。我們的住處雖然離城不遠，卻很有鄉村風味，附近有一個旅館和兩宅屋子，對面的田間，有一宅小屋。除此以外，只有到車站的半路上才有別的屋子。我的生意有時必須留在城中，但在夏天的時候，沒有進城的必要，因此，我總住在鄉下的家裡，和我妻子和樂相處。老實說，在這件不幸的事情發生以前，我們之間實在沒有任何的不快。但有一件事我必須先告訴你。我們結婚的時候，我的妻子把她所有的財產全歸在我的名下。這一點實在和我的本意相反，因爲假使我的事業不佳，別人不免說長說短，這便要使我難堪了。但她既要這樣做，我就成全了她的意思。約在六星期前，她忽然向我提起這事。她道：『傑克，你接受我的錢的時候，你說我如果需用，向你要便是。』我道：『正是，這本是你自己的錢。』她道：『好！我現在要一百鎊。』我聽了這話，略略有些躊躇。但我想她必是要購買一件新衣，或什麼別的東西。我問道：『你有什麼用途呢？』她笑著道：『咦，你說過幫我保管錢，就像是我的銀行。你該知道銀行不應向主顧發問的。』我道：『假使你當眞需要這錢，我當然可以給你的。』『正是，我當眞要。』『那麼，你不能告訴我這錢你作什麼用嗎？』『傑克，過幾天也許可以告訴你，此刻卻不行。』我聽了這話，只暫時忍著。不過我們之間有祕密，這還是第一次哩。我給她一張支票，事後也沒再去想。這件事也許和後來的事並無關係，但我想此刻也應該說明的。我剛才告訴你們，距離我們的屋子不遠處有一間小屋。這小屋和我們之間只隔著一片田，但要到小屋裡去時，必須從大道上兜過去。在那小屋的外面，有一叢無花果樹，我喜歡樹木，所以不時走到那樹林旁去閒踱。在這八個月中，那小屋都空無人住。這是很可惜的，因爲那屋子有兩層樓，前面有一個古式的陽臺，上面爬滿了金銀花。我常想像這樣一個雅潔的地方，恰好做一個住家。上星期一傍晚，我正朝那小屋的方向閒步，忽見那條通往小屋的狹徑上有一輛空車，又見那小屋臺前的草地上有一堆地毯等的東西。分明是那小屋已有人租了。我走過小屋門前，站住了瞧瞧，心中暗忖這個和我們做鄰居的人究竟是什麼樣的人物。我正自瞧時，忽覺有一個人的臉孔從上面的窗口向我俯瞧。福爾摩斯先生，我當時不知道那面孔究竟如何，但覺有一股寒氣直達我的背脊。我和那窗距離略遠，瞧不出那面容怎樣，但我覺得那彷彿是一個不自然而非人類的臉。我當時有了這個印象，便急著走近，以便把這個窺察我的人瞧得更清楚些。但我剛要走近，那面孔忽然不見，彷彿這人突然退進了室內的黑暗地方去。我在那裡站了五分鐘左右，仔細推想這事，想要分析一下。我不知道這面孔是男子或是女子，因距離太遠，不容易辨別。但那面孔的顏色，卻讓我留下深刻的印象。那是一種像黃鉛粉般的淡黃色，並且有些可怕而不自然。我因著這一番的驚擾，便決定要瞧瞧這小屋裡的新主人。我走近小屋，在門上叩了一下，立卽有一個身長瘦削的婦人出來開門。這婦人的面貌也很醜陋可憎，帶著北方口音，問道：『你需要什麼？』我答道：『我是你對面的鄰居。』說時，我把頭向著自己的屋子，點了一點。我又道：『我見你們才剛搬進來，所以想假使我可以爲你盡一些力……』她道：『啊！我們若需要你時，自然會來請你的。』說著，便當著我的面，把門關上。我受了這閉門羹，心中越發惱怒，便步行回家。這天傍晚，我雖然想把我的腦子轉移到別的事上，但在那窗口見到的怪模樣，和那婦人的鹵莽，都盤踞在我的腦中。我決定不把這件事向我的妻子說起。因爲她是一個多愁善感的人，我不願意把我所受的不快樂印象讓她分擔。但我在睡前曾告訴她那小屋子已有了住戶，她卻並不回答。我是十分酣睡的人，家人時常嘲笑我說，夜裡沒有什麼方法能把我吵醒。可是這天晚上，大概因爲日間所受的驚惶，夜裡竟不像平日一般酣睡。我在半睡半醒的當兒，覺得室中好像有什麼人走動。接著，我覺察我的妻子已穿好了衣服，正要披上她的外套，並戴上帽子。我的嘴唇裡發出了幾句喃喃的睡語，詫異她在這時候有這舉動。後來我半開的眼睛從燭光中瞧見她的面容，竟使我驚駭出神。她這種樣子我從來沒有見過，而且也絕對假裝不出來。她的臉色像死灰一般，呼吸急促。當她穿上外套的時候，偷偷地朝床上看，似要看曾否驚動了我。接著，她覺得我依舊熟睡，便悄悄地從室中溜出。不一會兒，我聽見一陣銳利的聲音，很淸楚地是前門的鉸鏈發出來的。我從床上坐起，用我的肘骨在床欄上敲敲看，以確定我自己是否眞的醒著。我又從枕頭底下取出錶來，那時是凌晨的三點鐘。在這樣的時候，我妻子竟外出，有什麼事呀？我坐了大約二十分鐘，腦中竭力尋思，希望得到一種可能的解釋。我越想越覺得這事奇特不容易理解。我還在疑奇不決的當兒，忽聽見前門又開了，她又上樓來了。當她進來的時候，我問道：『愛菲，你去那裡呀？』她一聽見我說話，陡地一震，同時發出驚呼。這一種呼聲和震動使我越發惱火。因爲這裡面含著不可形容的犯罪意味。我妻子向來是坦白率眞的，那時我見她向房中走來，更使我吃驚。她勉強露出笑容，說道：『傑克，你醒著嗎？我以爲沒有什麼弄得醒你的。』我更加嚴厲道：『你去那裡？』她道：『我也不怪你要詫異。』她邊說邊解她外衣的鈕扣，我見她的手指在那裡顫抖。她繼續道：『這樣的事，我生平實在不曾有過。我覺得氣悶，想呼吸新鮮空氣。我自覺剛才若不出去，也許會悶得發暈，因此我在門口站了數分鐘，現在已覺得舒服多了。』她陳說這一番話的時候，眼光不曾向我瞧過，聲音也和平時不同。我知道她的話完全是虛假的。我並沒回答，把臉朝向牆壁，心中充滿了疑惑，非常難過。我妻子隱瞞我的是什麼呢？她究竟往那裡去呢？我覺得我在明白這事的眞相以前，心中再也不能安寧。但她既向我說過這一番假話，我就不想再向她究問。這一夜我翻來覆去，腦中構成了許多假想，越想越覺得昏亂。第二天我本應往城裡去的，但因心中的驚擾，沒有心緒注意商務。而我的妻子也像我一樣的不安。我見她不時以疑問的目光看我，覺得她已知道我不相信她的話，她一時也不知怎麼辦。在早餐時，我們竟沒有交談。早餐過後，我立即外出，想要趁著早晨新鮮的空氣，忘記這個疑團。我出外後，一直走到水晶宮，在那裡逗留了一個鐘頭，等到回到諾白蘭時已是一點鐘了。那時我從小屋前經過，立定了腳步，從屋中的各個窗口瞧去，想看看昨天看我的那個奇怪臉孔還在不在？福爾摩斯先生，你能想像我當時是多麼驚訝嗎？當我站在那裡的時候，那小屋的門忽然開了，我的妻子竟從裡面出來。我一瞧見她，嚇得發呆，但我的眼睛一和她接觸，見她臉上的神情，竟比我更嚴重。當時她似想逃回屋子裡去，但後來覺得情勢如此，避匿無益，也就向我走來。她發白的面容，驚駭的眼睛，都很可怕，嘴上卻強露著微笑。她道：『傑克，我剛才來看看我們的新鄰居有沒有需要我們幫助的地方。傑克，你爲什麼這樣子看我？你不會生我的氣吧？』我道：『唉，這就是妳晚上來的地方了。』她呼道：『你的話是什麼意思？』『昨晚妳到這裡來過的。我確信如此。他們是什麼人？妳爲什麼深夜來看他們？』『我以前不曾來過。這還是第一次哩。』我呼道：『妳爲什麼用這種謊話騙我？妳說話的時候，聲音都變了。我在妳面前幾時有過祕密呢？我要進這小屋去，把這件事查一個明白。』她忽喘息道：『不，不，傑克，看在上帝的分上，不要這樣！』

她的聲音滿含著驚恐，已不能自制。等我走近那門口的時候，她拉著我的衣袖，用全力拉我回去。她呼道：『傑克，我求你不要這樣。我發誓過幾天一定把這事的情由完全告訴你。但你若走進這屋子裡去，只有悲憂，沒有別的好處的。』我從她手中掙脫，她卻仍拉住我，又盡力懇求。她呼道：『傑克，請你相信我！請你相信我這一次！你決不會因此而後悔的，你要知道我若不是爲了你，也不會向你保守祕密的。我們的全部生活都繫在這一點上，你若能和我一塊兒回家去，一切都會很好。假使你要強進這屋子裡去，我們之間便完了。』她的態度如此懇切而窘迫，讓我平靜了一點。我站在門口，一時不能決定。最後，我說道：『要我信任你，必須有一個條件。就是這祕密的勾當，到今天爲止。你要保守祕密，可以，你有你的權利，但你須答應我以後不准在半夜裡外出，也不准瞞著我有什麼舉動。假使你能允許我以後不再有這樣的事情，我也可把經過的事情忘掉。』她呼了一口氣，似放心了些，答道：『我知道你會信任我的。你的條件我可以照辦，現在我們快回家去吧。』她拉著我的袖子，領我離開小屋。我偶然回頭去，忽見二樓的窗上，有一個黃色的面孔正向我們瞧著。我的妻子和那怪物之間究竟有什麼關係呢？那天我所見的那個粗暴婦人和我妻子有糾葛嗎？這糾葛又怎樣發生的呢？這是一個奇怪的謎團。但我知道我若不能夠解釋明白，我心中永不會快樂的。這事以後的兩天，我留在家中。我的妻子很忠誠守約，不再出去。但到了第三天，我又覺得她允諾的約定，竟不能抵抗那祕密的吸引力。這力量使她背棄她的丈夫和她的本分！那天我到城裡去，但回來的時候，不像平日搭三點三十六分的車，卻搭了早一班兩點四十分的車。我走進屋子時，那女僕從裡面奔出，顯得很驚異的樣子。我問道：『太太在那裡？』她答道：『我想她是出去散步了。』我心中一時又充滿了疑雲。就奔到樓上，瞧瞧她是否確實不在屋中。我偶然向窗口外一看，忽見那剛才和我說話的女僕，從田中向那小屋奔去。我一見狀，立即知道這是怎麼回事，我的妻子必已往小屋中去了。她一定吩咐女僕，我如果回家，立刻去叫她。我這時怒氣滿懷，奔下樓來，穿過了田畝，決定徹底解決這件事。我瞧見我的妻子和那女僕從小徑上急急奔回。但我並不停步跟他們說話。這小屋裡面隱藏著一個祕密，竟使我的生活變成了黑暗，我發誓無論如何這祕密再也不能存留下去。我走到屋前，並沒叩門，旋動門鈕，直闖進去。第一層樓完全寂靜。廚房中的爐竈上，有一把水壺正沸騰作聲，有一隻大黑貓盤臥在一隻籃中，但我從前見的那個婦人，竟不見影蹤。我又走進一室去，也同樣是空的，於是我奔上樓，樓上的兩室也同樣空著。全屋之中完全沒人。那室中的器物和懸掛的圖畫都很粗陋，只有我從前在窗裡瞧見過怪臉的那一室，佈置有些不同。那裡的器物，都很安適而精緻。我的眼光瞧到了一件東西，心中的疑問便像火燒一般。因那壁爐簷上有一張我妻子的全身照片，這照片還是在三個月前我幫她拍攝的。我在屋中逗留了一會，確定完全無人，隨即走出來回去。我心情更加沈重了。我回家進屋時，我的妻子走到甬道中來。我因悲傷與憤怒，並不和她交談，只從身旁掠過，一直走進我的書房。但她在我關門以前竟跟了進來，說道：『傑克，我很抱歉，破壞了我的信約，但你如果知道其中的情由，我知道你一定能寬恕我的。』我道：『你把一切事情告訴我。』她呼道：『傑克，我不能，我不能。』我道：『你若不告訴我那住在小屋裡的人是誰，和你送給誰照片，我們中間便不可能重新復合。』我說完了這話，便離開她從屋中出來。福爾摩斯先生，這是昨天的事，我至今沒有見過她。我對於這件奇怪的事情所知道的也只這些。這是我們中間發生的第一次嫌隙。我一時昏亂無知，不知怎樣處理。今天早晨，我忽然想起你是一個可以指導我的人，所以此刻趕到你這裡來，完全把這事交在你的手中。假使這裡面我沒有說清楚的地方，請你儘管問我。但我希望你盡快指示我怎樣處置，我實在受不了了。」

福爾摩斯和我聽了這一件奇怪的故事，都十分注意。他的說明因為感情衝動的緣故，說得雜亂無章，但事迹的怪祕，卻已很顯明。

我的同伴靜坐了一會，以他的手托住下巴，沈沈深思。最後，他說道：「請你告訴我，你能保證，你在窗口裡瞧見的人，是一個男子的面孔嗎？」「我每次瞧這個面孔都略有距離，因此我不能確定。」「但你覺得這面孔是很可憎的。」「正是，這臉孔的顏色很不自然，並且面目奇特而猙獰。但我一走近，這面孔便不見了。」「你妻子向你索一百鎊的款子，到現在多久了？」「約兩個月。」「你可曾見過她前夫的照片？」「沒有，他死後不久，亞特蘭大發生過大火，因此她的一切文件都燒掉了。」

福爾摩斯道：「但她卻還留存著一張她丈夫的死亡證明，你說你瞧見過這證書的。」「是啊，她在火燒後得到一張病死證書的副本。」「你可曾遇見過什麼在美洲時認識她的人？」「沒有。」「她可曾說起過要再去美洲？」「沒有。」「可曾接到過從美洲來的信？」「沒有。」「謝謝你，我想我此刻須推想一下這件事。假使那小屋之後便空著，我們不免有些困難。假如不然，我想昨天那屋子裡的人，必因知道你要進去，因此先行避開，那麼，此刻他們必定也已回去，我們也容易解決了。現在我對你說，你回到諾白蘭後，瞧瞧那小屋的窗口。假使你確見裡面有人，你不必進去，拍一個電報給我們。我們在接電一小時內，便可趕到你那邊去。那時這件事便可水落石出了。」「但假使那屋子仍舊空著呢？」「如果這樣，我明天可以來和你商量。你現在不要空尋煩惱，再會吧！」

我的朋友送了葛倫特・傑克・孟洛出去以後，回過來向我說道：「華生，我認爲這件事不妙，你覺得呢？」我答道：「這確實有些難辦。」他道：「我若沒推測錯誤，這裡面也許帶著勒索性質呢。」「那麼，誰是勒索的人呢？」「一定是住在那間舒適房間中的那人。他的爐簷上面，還放著孟洛太太的照片。華生，你記著我的話，那窗口裡顯現的人臉很耐人尋味，這件案子我絕對不會放棄的。」我道：「你已有了假設了嗎？」「正是，有一個假設。但我想我的假設如果不合事實，那不免要使我驚奇了，我以爲這婦人的前夫就住在那小屋中。」

「你怎麼知道？」

「她這樣驚惶不安，又不許她現在的丈夫進去，除此之外，又如何解釋呢？照我想來，這件事大概是這樣的，這婦人在美洲結了婚，她的丈夫顯露了什麼不良的行徑，或是染上惡疾，於是她背著他逃走，回到英國，隱姓埋名，希望另換一種新的生活，她以別人的死亡證書欺騙他現在的丈夫。他們結婚已經三年，她自以爲生活已很安穩，不料她的行蹤忽被前夫發現。這一點也許是那個和那患病的丈夫熟識、多事的婦人，發現了孟洛太太的蹤跡，就去告訴他。他們於是寫信給孟洛太太，恐嚇她要宣露她的祕密。她因此向丈夫要了一百鎊，想借此塞住他們的嘴。但他們得到了錢，仍舊到諾白蘭來。後來孟洛偶然告訴他妻子，小屋中已有了新鄰居，她便料到他們就是來跟蹤她的。她等到丈夫睡著以後，就悄悄出去，勸他們讓她平靜過日子，這一次沒有功效，次日早晨，就再去。這次她從小屋中出來的時候又被她的丈夫撞見。她當時答應他不再到那裡去，但兩天以後，她因急著要這兩個可怖的鄰居離開，故而再到那小屋中。那時對方也許向她要索她的照片，她就把她的照片帶去。不料在晤談的當兒，那女僕忽奔過去，報告主人已回家了。孟洛太太一聽，知道他必直接到小屋中來了，就叫那屋中的人從後門出去。我們知道那小屋附近有一叢無花果林，他們也許就藏在那裡，所以孟洛進去的時候，屋內已空了。因此，假使他今天再到小屋中去，屋中仍舊空著，那眞要使我詫異了。你覺得我的假設怎樣？」「這完全是猜測罷了。」

「但至少可包含一切已發生的事實。假使有新的事實發生，是這假設中容納不下的，那時我們再另換別的假設也不遲，現在我們無事可爲，只能等我們諾白蘭朋友的信息來了再說。」

我們等待這消息的時間並不長。在我們飲

茶完後，電報已來。那電報道：「小屋中仍舊有人住著，窗中又見人臉，我等你乘七點鐘火車來，一切等你到後進行。」

我們依約搭火車到那裡時，孟洛已在車站的月臺上等待。我們從車站的燈光中瞧見他面容慘白，驚惶而顫慄。

他用手拉住了我的朋友的袖子，說道：「福爾摩斯先生，他們仍在這裡。我經過時見小屋中有燈光。我們應徹底解決這件事才行。」

當我們朝著那幽暗的樹蔭路行進的時候，福爾摩斯問道：「那麼，你有什麼計劃？」「我要闖進那小屋裡去，瞧瞧究竟是什麼樣的人。我請你們一塊兒去，請二位做見證。」「你不顧你妻子叫你不查究爲妙的警告，執意要這樣子做嗎？」「正是，我執意如此，」「好，我想你的決定是對的。明白事情的眞相，總比這樣沒頭緒地懷疑好得多。我們立卽前去，若照法律的觀點看來，我們這樣的舉動是錯誤的，但我想這也值得。」

那晚天色黑暗，細雨點點，落在我們的身上。我們仍向前進，過了大道，折入一條兩旁矮樹的小徑。葛倫特·孟洛先生走得很快，我們也盡力在後面跟著。

他指著樹隙中閃著的燈光，說道：「那就是我屋子裡的燈。這一宅就是我們要進去的小屋了。」

他說話時我們已轉了一個彎，那屋子抖地已在我們身旁。有一道黃色的燈光，照在門前的黑地上面，可知那屋子的前門並沒關上，樓上的一個窗口透出的燈光非常燦爛。我們正瞧著的時候，忽見一個黑色的影子映在那窗簾上。

葛倫特．孟洛呼道：「就是那個東西，你們可以瞧見的，樓上有一個人在。現在跟我來，我們立卽可以知道謎底了。」

我們走到小屋的門口，忽見一個婦人從黑影中出來，站在那一條從門隙中露出來的燈光之中。我在黑暗中瞧不出她的面容，但她的兩臂高舉，露出一種懇求的樣子。

她呼道：「傑克，看在上帝的分上，不要這樣。我料想你今晚要到這裡來的。親愛的，請你再仔細想想。你再信任我一次，以後決不會後悔的。」

孟洛厲聲道：「愛菲，我信任你太久了。讓我進去！我一定要進去。我和我的朋友們決定徹底解決這件事。」他把她推在一旁，我們就緊跟在他的後面，當他推開了門，有一個老婦奔出來，想要阻擋他的去路，但他把她推開，很快地我們都上了樓。孟洛衝進一間光亮的室中，我們也跟著進去。

這是一間溫暖而佈置安適的臥室，桌子上點著兩根蠟燭，爐簷上另有兩根。在室的一角有一個人俯伏在一個書桌上面，看來好像是一個小女孩子。我們進去時她的臉背著我們，但我們可以瞧見她身上穿著一件紅色的外套，手上還戴著白色的手套。忽然，她轉過頭來，看著我們。我不禁發出驚怖的呼聲。那轉過來的臉孔，顏色奇怪極了，臉上絲毫沒有表情。一刹那間，祕密已解開了。福爾摩斯笑了一笑，伸手在那孩子的耳朵背後摸了一摸，一個假面具從她臉上落下。原來她是一個黑炭般的女孩子。這時她笑了，露出白色的牙齒，似因我們的詫異而覺得有趣。我也不禁笑了出來，對這女孩子表示同情。但孟洛卻只站著呆瞧，以一手握住他自己的喉間。呼道：「我的天啊！這是什麼意思呢？」

這時他的妻子也奔了進來，露出一種嚴肅的神情，答道：「我來告訴你。你強迫我違反我的意志告訴你，現在就告訴你吧。我的丈夫死在亞特蘭大，我的孩子卻仍舊活著。」

「你的孩子嗎？」

她從胸中取出一隻垂飾用的銀匣，說道：「你從沒有見這東西開過。」「我以為這東西不能開的。」

她在那銀匣的彈簧上一按，匣蓋立即跳開，裡面有一張男子的照片，面貌俊秀而多智，五官和這個黑膚色的女孩子完全相同。

那婦人道：「這是亞特蘭大的約翰・希孛龍。他實在是這世界上最值得讓人尊敬的人。我所以和我的族人隔絕，就因為要嫁他。他活著的時候，我絲毫沒有反悔過。不過很可惜的就是我們的獨生孩子，竟遺傳了他的血統，不是我族人的血統，白人和黑人通婚往往有這種情形，而我的小露西的膚色竟比她父親更黑得厲害。但無論她是黑是白，總是我的孩子，也是我心愛的愛女。」那女孩子聽到這裡，便奔過去拉著孟洛太太的衣裙。她又繼續道：「我當時所以將她留在美洲，就因她身體不好，換了地方或許對她的健康有害。我把她交給一個忠誠的蘇格蘭婦人撫養——她本是我們的舊僕。我當時沒有忘記她，並且絕對沒有將她離棄的意思。後來我和你認識，產生了愛情，我不敢把我孩子的事告訴你。上帝請原諒我！我實在有些自私，因為我怕失去你的緣故，竟沒有勇氣說明。我在這兩個問題上交戰了一番，我到底還是愛你，所以放棄了我的小女孩。三年以來，我隱藏著這件事。但我不時從保姆那兒得到她的消息，知道一切都很平安，可是後來我忽然產生要瞧瞧我孩子的意念，這意念非常強烈，我雖然竭力忍著，還是無效。我也知道這一點有些危險。但我決定要把這孩子接來，卽使暫時看幾個星期也好。我寄了一百鎊給那保姆，又通知她這裡有一間空屋，他們可以遷進來做鄰居，表面上不要和我發生什麼關係。我還叮囑她日間把這孩子關著，並且把她的臉和手小心掩蔽住。這樣，卽使有人從窗中瞧見，也不致於引起人家紛論這地方有了一個小黑人了。假使我不過於謹慎，事實上也許好些，但我因怕你知道這事的眞相，實在有些昏亂了。你先告訴我小屋中已有了住戶。我聽了以後，本可等到第二天早晨再過去。但我再也睡不著，我又知道你是不容易醒的，就在半夜悄悄出去。不料你竟瞧見我出去，於是我的困難便開始了。第二天你已完全覺察了我的祕密，但你還仁慈地不加追究。三天以後，你一從前門進去，那保姆和孩子便馬上從後門逃出，險些兒被你撞見。今夜你已完全知道這事的底蘊了。現在我且問你，你打算怎樣處置我和我這孩子呢？」她說完了話緊握著手，等他的答覆。

這樣過了十多分鐘，孟洛方才打破室中的靜寂，他的回答，我覺得非常高興。他把那小孩子抱了起來，吻了她一下，然後一手抱著孩子，一手拉著他的妻子，一塊兒向門口走去。

他道：「我們回家去談，可以更舒服些。愛菲，我不能算是一個聖人，但我想比你所臆想的也許好些。」

福爾摩斯和我一直跟著他們走到了那條小

他把那小孩子抱了起來

徑，他忽拉著我的衣袖。

他說道：「我想我們回去倫敦，比留在諾白蘭更有用些。」

這晚他沒有再談起這一件案子，直到他拿著蠟燭，回房去睡時，才又跟我提起。

他道：「華生，假使以後你覺得我過於自信我的能力，或在案子上欠缺深切的努力時，請你在我的耳邊，輕輕提起『諾白蘭』三字，那我一定很感激你的。」

囚舟記（原名 The "Gloria Scott"）

一個冬天的早晨，我正和我的朋友歇洛克·福爾摩斯對坐在壁爐的兩旁。他忽向我道：「華生，我這裡有幾張紙。我想你值得一讀的。這是關於葛羅利亞·史考特船案的文件。一個名叫德蘭佛的司法官讀了之後，竟驚怖而死。」

他說著，就從抽屜中取出一個銹舊的管子，把蓋子打開，從裡面取出一張暗灰色的小紙，拿給我看。

那紙上寫著：「The supply of game for London is going steadily up. Head-keepr Hudson, We believe, has been now told to receive all orders for fly-paper, and for preservation of your hen-pheasant's life.（倫敦野味的供應已逐漸上升了。我們相信總管哈德遜已奉命接受一切購買蒼蠅紙的訂單，又奉命保護你的雌雉的性命）。」

我把目光從這奇怪的信上抬起來時，見福爾摩斯似正在那裡瞧著我暗笑。說道：「你似乎有些詫異呢。」

我道：「我不覺得這信上有什麼恐怖的意味。我只覺語意奇詭，和尋常的不同罷了。」

「不錯，但竟使那壯健的老人讀了之後便斷送生命，這東西就像是一粒手槍的子彈。」

我便道：「你已把我的好奇心引起來了。但你剛才爲什麼說，這裡面有特別的原因，令我應該研究這件案子？」

「實在是因爲這是我偵探生活開始的第一

件案子啊。」

我一直都想設法問我的同伴，他最初著手偵探的是什麼案子，但終沒有機會開口。這時他坐在他的扶手椅上，身體前仰，把那文件攤在他的膝上。接著，點燃煙斗，靜坐著吸了一會煙，又把那紙翻了過來。

他忽問道：「你沒聽我談起維克托・德蘭佛嗎？他是我在大學兩年中惟一的朋友。華生，我並不是一個善於交際的人。那時我常待在我自己的房間，一個人深思默想，因此，我和那些年紀相當的同學都不相往來。我對於運動，只喜歡擊劍和拳技。因爲我的嗜好和別人顯然不同，因此很少和別的人接觸。德蘭佛是我唯一的朋友。這是因爲一天早晨，我要去禮堂時，忽然被他的獵犬咬傷了足踝，因爲這件事，我便和他開始成爲朋友了。

這種相識的方法是很無趣的，可是卻非常有效。我因被咬傷的緣故，竟在牀上躺了十天，德蘭佛時常到我這邊來慰問。起初，只談一兩分鐘便走，不久，他來看我的時間漸漸的長了。等到我的傷痊癒時，我們已成了莫逆之交。他是一個富感情而有血性的人，做事精力充沛，有幾點和我絕端相反。但我們也有相同之點——我知道他也是一個像我一樣落落寡歡的人，於是我們倆的交情便越發密切。後來他請我到他的父親那裡去。他父親住在拿福克的陶尼索波。我答應了他的請約，就趁著暑假一個月的假期，到他家裡去度假。

老德蘭佛做過司法官，又是一個地主，是一個有錢有勢的人物。陶尼索波是在勞特郡的一個小鄉村，地點在蘭葛茂的北部，非常幽僻。德蘭佛家的屋子樣式古老，面積很寬廣，橡木的棟樑，而牆壁都是用磚砌成的。門前有一條菩提樹旁列的通道，風景很幽美。那裡有許多池沼，野鴨時常來往，可以行獵，若要在池裡垂釣，那更適宜。屋中有一個小小的藏書樓，所藏的圖書都很精緻，我聽說這藏書樓是從先前的屋主那裡承購而得的。此外另有一個精妙的廚子，因此一個人在這地方休息閒居是非常愉快適意的。

老德蘭佛鰥居已久，我的朋友維克托是他獨生兒子。我聽說從前他還有一個女兒，但她在伯明罕旅行的時候，染上白喉死了。我對老德蘭佛非常感興趣。他的學問似不甚高，但他的體力和腦力都很強。他對於各種書籍熟悉的很少，但他曾周遊各國，見聞廣博，並且記憶力極強，對於所見所聞，都能牢記不忘。他的體格很魁梧，頭髮已灰，臉呈棕色，表示他曾飽經風霜。他藍色的眼珠銳利而近兇厲，但在他們鄉中，他卻有慈祥的美名，並說他執法時的判詞，也非常寬大。

一天黃昏，那時我到他家裡還沒有多久。我們在晚餐以後，一塊兒坐著飲葡萄酒，小德蘭服忽說起我平素的習慣，說我精於覺察和推斷等等，那老人聽了他兒子的話，似覺得他所說我探案的成績有點過於誇張。

老人詼諧地笑道：『福爾摩斯先生，你既然善於推斷，那麼，我正是一個絕好的題材。你能推出些什麼呢？』

我答道：『我恐怕所得的不多。我敢說你在過去一年中，時常擔心有什麼人會乘間襲擊你。』

老人的笑容頓時消失，張目向我瞧著，顯出非常驚異的樣子。

他道：『唉，確實如此。』說著，又回頭向他的兒子道：『維克托，你應當知道我們自從把獵黨解散以後，他們立誓要刺死我們，後來霍孛勳爵果眞被他們所害。我從那時起，便很小心防範。但我不知你怎麼知道的呢？』說時，又把目光朝向我。

我答道：『我見你有一根很美麗的手杖，杖上刻著年月，恰近一年。我還見你曾在手杖的頂上鑿了一個洞，把鉛溶液灌在裡面。因此，這手杖便成了有力的武器。我便料想你假使沒有很深的恐懼，決不會這樣小心謹愼的。』

他微笑問道：『的確。你還知道什麼別的事呢？』『你少年時還練過拳術。』『這也沒錯。你怎樣知道的呢？可是因爲我的鼻子受拳略偏的緣故而知道的呢？』我道：『不是，我是從你的耳朵上知道的。你的耳朵特別扁厚，那是拳術家的特徵。』『還有別的嗎？』『我又從觀察你手上的繭皮，知道你曾經做過採掘的事情。』『我果眞是從金礦上起家的。』『我又知道你曾經到過紐西蘭。』『也沒錯。』『你又遊歷過日本。』『對啊。』『你曾經和一個人交往得非常密切，那人姓名的縮寫字母是J・A・二字。但到了後來，你卻想把這個人忘掉。』

德蘭佛先生緩緩站起身來，張大了他藍色的眸子看著我，露出驚奇而瘋狂的眼光。接著他伸長了頭頸，瞧著桌上的雜物，忽然呆立暈了過去。

華生，你可想而知，那時我和他的兒子是怎樣驚恐？但他暈過去的時間不久，等我們把他的衣領解開，又將杯子中的水灑了些在他的臉上，他才喘了口氣，坐直了身子醒過來了。

他強作笑容說道：『唉，孩子們！我希望

沒有嚇到你們。我的外貌雖然很健壯，但我的內心卻有一個弱點，不需多大力量，便可以將我擊倒。福爾摩斯先生，我不知你怎麼能夠如此。但現在我覺得無論是那些實際存在或虛構的偵探，在你眼中，只不過像孩子們一樣了。先生，你可以把它當成一生的職業。我自信是一個略有見識的人。我的話也許有記取的價值的。』

華生，你如果相信我，我敢說我以前所有的偵探想法，和對於偵探學上的研究，原不過是嗜好而已。但自從聽了那老人的讚語，和他對於我的技能的估量以後，我才覺得這一行果眞可以做我終身的職業。但在當時，我因老人的突然驚暈，心中實覺得非常不安。

我接著忙答道：『我希望我的話沒使你覺得什麼痛苦。』『你當眞觸著了我的弱點哩。但我請問你，你究竟怎樣知道的，並且你所知道的，究竟有多少。』他說這話的時候，臉上已帶著幾分嘻笑的神氣，但那恐怖的神情，卻還逗遛在那眼睛的深處。我道：『這原是很簡單的。那天我們在小艇中釣魚的時候，你捲起了衣袖，伸手到水中去捉魚。我見你的手肘上刺著J·A·二字，字跡雖模糊，卻還分辨得清。但那字的四周，刺染著別的痕跡，分明是後來曾設法要把那字跡抹去。由此可知道這兩個縮寫的名字，起先本和你非常熟稔，後來你卻又設法忘記它。』

「他微微歎了一口氣，似乎放心了些，答道：『你的眼睛眞厲害。這事和你所說的一點也不差。但我們不必再說。所有惡鬼之中，我們舊識的魔鬼，可算是最壞的。現在我們且往彈子房去，吸一根雪茄休息一會吧。』

從那天以後，老德蘭佛待我雖很殷勤，隱約間卻似帶著一種疑心。這一點他的兒子也覺察到。他曾向我道：『你的談話使我父親疑惑不定。因他實不能確知，你所知道的是什麼，和所不知道的還有多少。』老人的疑心似極不願顯露出來，但我覺得他的一舉一動，往往不知不覺的有這種表示。等到後來，我確知我在他身邊終究會令他不安，便決定離去。可是就在我離開的前一天，有一件事發生了。這事與後來的事情有重要的關係。

那時我們三個人，一塊兒坐在草地上的椅子，看著西垂的日光，正自讚賞白勞特的鄉間景物。忽然一個女僕來報，門口有一個來客，要求見德蘭佛先生。

老人問道：『那人叫什麼名字？』『他不肯說。』『那麼，他為什麼要見我呢？』『他說他認識你。他要和你作片刻的談話。』老人說道：『那麼，帶他到這裡來。』不多久，便有一個瘦小而憔悴的人進來。那人態度卑瑣，步履也踉蹌不很雅觀。他穿一件沒扣鈕扣的短外套，袖口上染著一大塊柏油痕跡，裡面襯著一件紅黑相間的襯衫，棉布的褲子，厚重的靴子已敝舊穿孔。他的臉呈棕色，瘦削而狡猾，常帶著笑容，因此露出了他那排黃色而不整齊的牙齒。他枯皺的雙手，半握著拳，顯出一種水手們常有的狀態。當那人無精打采地朝我們坐處過來的時候，我聽見老德蘭佛喉中發一陣咯咯之聲，忽從椅子上跳起，向屋子裡奔去。不一會又跑出來。當他經過我面前的時候，我嗅到一陣濃烈的白蘭地酒氣。

「老人開口道：『朋友，你有什麼事？』

那水手向老人瞧著，眼光中顯現惱怒的神情，但那張口的笑容，仍留在他的嘴上。問道：『你不認識我了嗎？』老德蘭佛詫異道：『啊，你是哈德遜！』那水手道：『先生，我正是哈德遜。自從上次見了你，至今已三十多年了。你此刻竟已安居在你自己的家園裡，我卻仍艱苦地覓取我的食物。』德蘭佛先生道：『不用說了。你應知道我並沒有忘記我舊時的生活啊。』說時，他走到那水手的身旁，低聲說了幾句。接著，又繼續高聲說道：『你可去廚房裡，儘你吃喝。我確信我可以給你安排一個職位。』那水手把手舉起，觸著他的額髮，說道：『先生，謝謝你。我已浪遊了多年，不太得意，現在想找一個安息的所在。我決定不是去找斐杜司，就是來找你。』德蘭佛先生呼道：『啊！你知道斐杜司先生在什麼地方？』『先生，謝謝你——凡是我的老朋友，在那裡我都知道的。』那人說了這句話，臉上露出獰笑，便匆匆跟著女僕往廚房裡去，德蘭佛先生含糊告訴我們，當他在採礦的時候，這個人和他同船。說罷就走進餐室裡去。一小時後，我們也同進餐室，忽見他躺在餐室的沙發椅上，已喝得爛醉了。這件事，在我的腦海中留下了一個極醜惡的印象。因此我第二天離開陶尼索波的時候，心中毫無留戀。因爲我覺得我在他的家裡，也許就是那不安的起源。

上節所述的事都是在我長假期的第一月中發生的。我回到倫敦，花了七個星期做了幾次有機化學實驗。直到深秋，暑假將盡，有一天，我忽然接到一個電報。那是我的朋友維克托・德蘭佛發的，請我回到陶尼索波去，他正需要我的指示和助力。我當然立即把別的事情丟開，再趕到那鄉村去。

維克托坐了一輛兩輪馬車，在車站上接我。我看他一眼，猛覺得過去的兩個月中，他的景況一定很困難。他變得異常消瘦，平日和悅的樣子和宏亮的聲音，這時都已不見。

他開口的第一句就說道：『我父親快要死了！』我驚呼道：『怪事！什麼緣故呢？』『他患的是半身不遂症。大概是神經受驚所致。他今天一直處在危險狀態中。我不知此刻回去，能否還能見到他。』華生，你可想見，當時我得了這意外的消息，心中多麼驚駭。我接著問道：『那麼，怎樣發病的呢？』『唉，這就是重點了。現在你請上了馬車，我們在車上細談。你還記得，你離去的前一天傍晚，不是有一個人到我家裡來嗎？』我應道：『記得的。』『你可知道這個人是誰？』『我不知道。』他大聲道：『福爾摩斯，他是一個惡鬼！』我聽了這話，向他呆望著。他繼續道：『正是，他實在是一個惡鬼。自從他進來以後，我們就沒有一刻平安的時間。我父親自從那晚起，從不曾抬起過頭。他的性命，便這樣漸漸地消磨了，他的心也碎了。都是這一個該死的哈德遜！』我問道：『那麼，這個人有什麼勢力呢？』『唉，這就是我急著要知道的。我父親是這樣一個溫厚慈祥的人！他怎會落到這一個流氓的掌心中去呢？福爾摩斯你能夠應約而來，我非常感激。我完全信託你的決斷和見解。以後我應當怎樣處理這一件事，我想你總能夠指導我的。』

我們的馬車很急促地向那平坦潔淨的村路前進。我們的前面就是白勞特市。這時被垂陽所浴，景緻非常美麗，遠遠地看見我們左邊的叢林之後，露出兩三個高突的煙囪，和一根旗桿，那就是德蘭佛家的屋子了。

我的同伴又繼續說道：『我父親起先叫那個人充當一個園丁，那人似不滿意，就把他升做了總管。於是我們的家庭，便好像完全在他的指揮之下。他一天到晚蕩來蕩去，又爲所欲爲，毫無顧忌。女僕們便向我父親訴苦，說那人時常喝醉了酒，向她們說無理的話。我父親聽了，只急忙增加她們的薪資，似藉此安慰她們，卻不說什麼。那人有時竟駕了我父親的小艇，又取了我父親最好的獵槍，自由自在地出去行獵。我見了他傲慢而冷酷的面容更覺難過。假使他和我同樣的年齡，我早已讓他嘗拳頭了。福爾摩斯，我老實說，我這段時間，實在非常容忍。現在我自己回想，我的容忍未免有些失當。假使我略略有一些干涉的態度，也許不致於如此呢。後來情形越壞，那可惡的哈德遜竟越發囂張，當著我的面，向我的父親說一些傲慢的話。我就不能再忍，便握著他的肩膊，把他推到門外。他那時回頭看我，一雙狠毒的眼光，露出一種恫嚇的神氣，他心中的意思，口雖不言，卻都已從眼中露出。從這件事以後，這個人對我可憐的父親說過什麼話，我不知道。但第二天我父親忽來問我，是否願意向哈德遜道歉。我當然拒絕，並反問我父親，爲什麼留這樣一個東西在我們家中，並且如此縱容他。他答道：『唉，我的孩子。你的話沒錯，但你不知道我的處境。維克托，你將來終會知道的。但你眼前總不願意傷害你可憐的老父吧？』他說這話的時候，表情非常憂傷，後來他終日關在書房中，我從窗中偷瞧，見他正忙著書寫。那天晚上，我們如釋重負，因爲哈德遜說要離開我們了。那時我們都在餐廳之中，晚餐剛畢，哈德遜忽走進來，說明他的決定。他那時已喝得半醉，語聲也模糊不清。說道：『我在拿福克已住夠了。現在打算去亨潑郡斐杜司先生那裡。我敢說他見了我，也一定會像你一般地歡迎我的。』我父親聽了，便用一種柔順的聲音向他問話。我聽了大怒，全身的血液，似都沸騰起來。我父親問道：『哈德遜，我想你此番離去，不會存著什麼惡感吧？』哈德遜的眼睛，向我瞧了一瞧，悻悻然道：『我還沒聽到道歉的話呢！』我父親因此回頭向我道：『維克托，你應該承認，那天你對這個人，確實有些無理。』我答道：『這話恰好相反。我覺得我們倆對他已容忍得夠了。』他厲聲道：『啊，你覺得如此嗎？孩子，很好，我們走著瞧罷！』他說完這話，便從餐室中離去，半小時後，便離開我家。從那時起，我父親似更加惴惴恐懼，每天夜裡我聽見他在臥室中走來走

哈德遜悻悻然道：「我還沒聽到道歉的話呢！」

去。後來才漸漸回復常態，略略安心些，忽然那最後的驚變來了。我急忙問道：『怎麼樣呢？』『這是一件非常怪的事。昨天傍晚，我父親接到一封信，信上有福亭橋郵局的郵戳。我父親讀了那信以後，把兩隻手舉到頭上，不停地打著頭，好像一個人昏迷了神志一般。後來我把他扶到沙發上，他的嘴和眼皮都已偏斜到一邊，我知道這必是他受到了極大的震驚所致。我立刻打發人去請復海姆醫生來。我們把他扶到床上，但他麻痺的狀態越發嚴重，仍沒有甦醒的徵兆。據

我看來，我們回去時，已無法看到他了。』我驚呼道：『德蘭佛，你是在嚇我哩！這封信究竟說些什麼？竟造成這一個可怕的結果呢？』維克托‧德蘭佛道：『那信中實在沒有什麼。這就是最難解釋的一點，信中的話很不可解，並且很瑣碎。唉，我的天啊，大概我所料的已不幸言中了！』當他說話的時候，我們倆已到了樹蔭路的轉角。從那殘照餘光之中，見那屋子窗口裡的窗簾已完全拉下。當我們走到門口，我朋友的臉上已充滿了憂容。正在這時，有一個黑衣的紳士從裡面出來。德蘭佛忙問道：『醫生，我父親什麼時候去逝的？』『差不多就在你離去以後。』『他可曾甦醒過？』『在臨終的時候，醒過片刻。』『可有什麼話給我呢？』『他只說紙件都在日本櫃中的黑抽屜裡。』

那時我的朋友跟著那醫生一同往死者的房裡去。我則留在門外，仔細思考那件事，心中也有說不出的憂傷。我想到這老德蘭佛的歷史，早年是一個拳術家和旅行家，後來又從事採金業。他怎麼會落在這個面目可憎的水手的勢力圈裡呢？並且又為什麼一聽見我說起他手臂上模糊的字跡，竟會驚暈？又為什麼接到了一封從福亭橋來的信，就嚇死呢？這時我想到福亭橋就在亨潑郡中。那水手就是往那個地方去，找那裡的斐杜司先生的。這信既然從那地方來，想必就是那個名叫哈德遜的水手發的。他也許報告老德蘭佛，已把他從前犯罪的祕密宣露出來。假使不然，這信或許是斐杜司所發，警告他有一個舊日的同伴正打算揭露他的祕密了。這是很明顯的。但據他的兒子說，那信很瑣碎難解。這又是什麼緣故呢？那麼，大概就是他誤解了。也許那信中的詞義，有什麼密碼，表面的意思和實際的含義不同，故而局外人見了不解。既然如此，我必須瞧瞧這一封信。如果信中果眞隱藏祕密，我自信終可以揣測得出。我這樣子默自尋思，大約有一個鐘頭，天色已暗下來了。後來見一個淚痕滿面的女僕送一盞燈進來，她的後面跟著我的朋友德蘭佛。他臉色灰白，但態度還算平靜，手中拿著現在我膝上的這幾張紙。他在我對面坐下，把燈移到桌子邊。就把這灰色紙上的話，指給我瞧。那信寫道：『倫敦野味的供應,已逐漸上升了。我們相信總管哈德遜已奉命接受一切購買蒼蠅紙的訂單。又奉命保護你的雌雉的性命。』

我敢說我讀了那信以後，詫異的臉色正像你剛才讀了這紙一樣。於是我再把那紙上的字義仔細推敲，我確信這紙中的字義一定不出我料，有什麼祕密的含意。我默念著蒼蠅紙和雌雉兩個名字，莫非有什麼預先約定的意義呢？如果這樣，無論如何，終不能推想得到的。那信中明明提到哈德遜，顯見這信確實和這個人有關，我先前的假定，已不算錯。但既有了哈德遜的名字，可知這信不像是哈德遜自己寫的，卻定是那個斐杜司所發。我又把字句顛倒了讀，那『性命，雌雉』卻又沒有什麼意思。後來我又間隔一個字讀，也一樣沒有成效。不一會，我忽得到了這暗謎的關鍵。原來這信應是每隔兩個字讀。因此這信的意思便很明顯，也莫怪德蘭佛一見便絕望而死了。

那信原非常簡單的，現在我讀給你聽：

『The game is up. Hudson has told all. Fly for your life.（事跡已敗露。哈德遜已揭露一切。你快逃命吧！）』維克托．德蘭佛一聽了這個解說,便以兩手掩住了面，顫聲道：『我想這幾句話一定是這樣解說的。這裡面藏著不名譽的恥辱，實在比死還要難堪。但那「總管」和「雌雉」又有什麼意思呢？』『這些字在通信上沒有意思的，但若要推究那送信的人是誰，卻也有尋味的價值。試瞧他的信原是每三字連成一個意思的，寫好以後，每一個空處都塡上兩個字進去。這種字當然是他揀選腦中常有的字。我們瞧這些字中，有幾個帶著禽鳥的意思，可知他是一個善於打獵或喜歡養家禽的人。你可知道這個斐杜司的情形？』他道：『你一說起，我也記得了。每逢秋天，我可憐的父親，常受到斐杜司的請約，到他那裡一同行獵。』我道：『那麼，毫無疑問，這信一定從他那裡來的。現在我們要進行的，就是設法查明這個水手哈德遜究竟握著什麼祕密，竟能挾制這兩個多金重望的老人。』我的朋友呼道：『唉，福爾摩斯，恐怕這是一件羞恥而罪惡的事。但我對你當然不必守什麼祕密。這就是我父親手寫的信，他因知哈德遜宣露的危險已無可逃免，因此就把他的過去完全寫了出來。這紙我是依著他臨終時對醫生說的話，從那個日本櫃子裡取得的。現在請你讀給我聽吧。因爲我自己實在沒有能力和勇氣宣讀這幾張紙了。』

華生，這裡的幾張紙，就是他那時交給我的。現在我可以讀給你聽，就像那晚我在那古屋中的書房裡讀給我的朋友維克托聽一般。這紙的外面，標著幾句說明道：『葛羅利亞・史考特船航行紀事。這船在一八五五年十月八日從法爾馬史啓程，十一月六日在北緯十五度二十分，西經線二十五度十四分處，忽遭覆沒。』裡面的記載，是信函式的，那信道：

『我親愛的兒子，那迫近的恥辱已使我垂

暮之年漸漸變黯淡了。我現在以誠實的態度寫出來。我不是畏懼法律，也不是怕失去我在本鄉的地位，或在一切熟人的眼中丟臉。使我最傷心的，是我想到你也許會因爲我的緣故，而蒙羞難堪。我知道你是很愛我的，並且除了極度的尊敬外，並不存別的心思。假使那垂在我頭頂上的危險，果眞不能逃免而成了事實，那我希望你把這一篇紀事仔細誦讀一遍，以便你可以明白這事的眞相，和確知我應當受何種限度的處分。假使我得到了萬能的神的默佑，這危險不致成爲事實，而且，如果這一篇紀事沒有毀掉，到了你的手中，我希望你念在你母親的分上，和我們父子間的親情，把這張紙投在火中，忘了它吧！

但假使你果眞看到了這一張紙，我知道這時我必已被人告發，並且被捕而去，或者早已一命嗚呼了，因爲我的心臟一向不好。但無論如何，到那時候祕密已不需隱瞞，因此我現在所寫的話，一字一句都是眞實的。這一點我敢發誓，並且我也希望藉此自懺。

我親愛的孩子，我本來不姓德蘭佛。我年輕的時候叫做詹姆士・艾米塔奇。你現在可以明白，數星期前，你的同學對我臂膊上刺著的J・A・二字所發的猜度，爲何如此令我驚恐了。那是因我怕他已經窺破我已往的祕密。那時我以艾米塔奇之名在倫敦的一個銀行工作，又以艾米塔奇之名違犯法律，後來被判刑。孩子，你不要因此便以爲我十分的無賴。因我欠了一筆信用保證的債，到期必須償還，我已沒有錢，便僭用了公款還債，打算在盜用的事實被發覺以前，仍然設法彌補。可是厄運臨頭，我期望中的款子竟不能如期到手，並且又提前查帳，於是我盜用的弊端便立刻敗露了。這件案子原可以判得略寬些，但三十年前的法律，比現今嚴酷得多。因此在我二十三歲生日的那天，竟被鐵索鋃鐺地鎖在葛羅利亞・史考特船中，和其他三十七個罪犯，一同流放到澳大利亞去了。

那是一八五五年的事。克里米亞戰事正激烈地進行著，那些載罪犯的老船，大半都在黑海上作運輸用。因此政府對於遣送罪犯，便不得不揀用較小的船。葛羅利亞・史考特號本是在中國海上載茶用的。船的樣式已舊，船首很重，船底也闊，因此那些新船早已勝過它。這船可載重五百噸，船上除了三十八個罪犯以外，還有二十六個船伙，十八個水手，一個船主，三個船副，一個醫生，一個牧師，和四個押送罪犯的獄卒。當這船從法爾馬史開船的時候，船上差不多載著一百條性命。

船上的囚室，若在一般的船裡都是用闊厚的橡木分隔的，但我們船上的隔板卻非常薄。和我隔室的囚犯，是一個少年，我們下船的時候，我見到他眉清目秀，沒有鬍鬚，細長的鼻子，走路時搖搖擺擺，顯出得意的神情。除此以外，他頎長的身材，也高人一等。我覺得我們同伍的諸囚，若和他並站，我們的頭只及他的肩部，因此我揣量他的高度，至少在六呎半以上。在那許多憔悴而憂鬱的面孔之中，卻有這一個精力充沛的人物，那眞是奇怪的事。我一瞧見他的模樣，彷彿在風雪中瞧見爐火，使我的精神振奮了許多。後來我知道他做了我的鄰居，十分高興。在一天深夜，忽聽見我耳邊有低語的聲音，才見他已把我們中間的隔板穿了一個小洞，那時我覺得更快樂了。他低聲道：

「唉，朋友，你叫什麼名字？你犯了什麼罪呢？」我據實回答了他。也問他的姓名。他道：「我叫傑克．泊侖圖斯特。你聽了我的名字，算你幸運！」我記得我聽過他的案子的。這件案子發生在我被捕以前。他的事跡曾被四處流傳，引起大家的注意。他出身良好，且有優越的本領。但因沾染了種種不可改的惡習，就用欺騙的方法，向倫敦的幾個大商人騙取巨款，因案發被捕。他很驕傲地說道：「嗯，你還記得我的案子嗎？」「完全記得。」「那麼，你可知道這裡面有些什麼特別之點呢？」「什麼？」

傑克•泊侖圖斯特

「我得到了二十五萬鎊的巨款！你可知道？」「外面是這樣傳說的。」「並且這筆款子，還沒有被追還。你知道嗎？」「這卻不知。」他又問道：「那麼，你可知這巨款此刻在什麼地方呢？」我道：「這我無從知道。」他大聲道：「這款子還在我的掌握中呢。老實說，我所有的金鎊，比你的頭髮數目還多。孩子，你如果有了錢，又知道怎樣使用，那時你什麼事都可做了！現在你試想，一個奮發有爲的人，豈能夠屈伏在囚舍裡面，垂頭喪氣地聽人家擺佈呢？先生，決不會如此。這樣的人，不但應設法自救，還應該救他的同伴。這話你應當相信的，你應當信任我。我一定能夠救你出去。」他的話似很突兀。我起先覺得沒有什麼意思，後來他測探了我一下。忽向我宣誓實言。他告訴我他正準備一個計劃，想奪取這一隻船。這許多罪犯之中，有十二個人已經在上船之前預先買通。泊侖圖斯特是一個首領，他的金錢，就是這計劃的原動力。

他又道：「我有一個同志，他是一個好人，並且誠實可靠。你想此刻他在什麼地方呢？唉，他不是別人，就是這船上的牧師。他在船上穿著黑衣，帶著聖經，他箱中卻有很多的錢，足以買通船上所有的人。那些水手，都是他的心腹，這些人都是他出代價買通的。他們也都簽名立約了。還有兩個押送的獄卒，和那個二副梅樂，也都聽他的指揮。他還想設法賄通船主呢。」我問道：「那麼，我們應當做什麼事呢？」他道：「你覺得呢？我們必須把那些兵士的衣服染紅！」我道：「但他們都是有兵器的。」「我的孩子，我們也可以有兵器的。我們每一個人都可以有兩把手槍。船上的水手，又可做我們的後援，這樣，我們假使還不能奪取這一隻船，那就只有進幼稚園去了。今夜你可和你左鄰的同伴談一下，試瞧他是否可以拉攏。」

我照著他的話做，於是知道我那隔壁的同伴是一個少年。他犯的是僞造貨幣罪，和我的情形大致相同。他叫伊文思，但後來也像我一樣改名了。現在他在英國的南部，也成了一個富翁。當時伊文思也很願意加入我們的密謀，因爲這是解救我們的惟一方法。因此在我們的船還沒有經過海灣之前，全船的罪犯，只有兩個人不知道我們的祕密。這兩個人中，一個是意志薄弱的人，我們不能相信他；還有一個患著黃疸病，在我們的計劃中也不能盡什麼力。

起初，我們奪船的計劃的確沒有任何阻礙。那些水手們本來就都是流氓，很願意聽我們的指揮。那牧師時常到我們囚舍中來激勵我們，他手中常提著一隻黑袋，別人以爲袋中是聖經，他便可時常進來。事實上，到了第三天，我們每人都已在榻下藏著一把銼刀、一對手槍、一磅火藥和二十顆子彈。那兩個獄卒成了泊侖圖斯特的心腹，二副也做了他惟一的助手，因此，只有船長和兩個船副、兩個獄卒，還有麥丁中尉和他的十八個兵，及一個醫生，才是我們的敵人。我們的計劃既如此周密妥當，我們還是不敢不謹愼從事。我們打算在半夜裡動手，以便容易成事。可是事情的變化，竟出於我們所料。那時的情形是這樣的：

在我們出發三星期後的一天晚上，那醫生下艙來爲一個囚犯診病。他偶然把手伸到榻下，忽然摸到了手槍。當時假使他不動聲色，那我們的計劃就可能被破壞了。但他是個膽小鬼，因此他驚呼了一聲，臉色頓時泛白，那囚犯一見，立卽知道大事已壞，因此動手將醫生捉住。並堵住他的嘴，不讓他叫喊出來，接著，又用繩子把他捆在床上。他開了門，走到甲板上面，我們也同時衝出來會集。有兩個守兵立卽中槍而倒，有一個班長奔過來瞧視什麼事情，也得到同樣的命運。那大艙門前另有兩個衞兵，他們手裡雖然有槍，但似乎沒有裝彈，等到他們想要裝上刺刀，槍彈早已進了他們的心窩。於是我們想衝向船長室去，但我們還沒有推門進去，便聽見裡面已先有槍聲。我們推開門一瞧，見船長的頭，正倒在桌子上鋪著的一張大西洋航海圖上，那牧師站在他的旁邊，手中正拿著一把還在冒煙的手槍，槍口擱在他另一手的肘上。還有那兩個船副，也已被同伴們捉住，於是這一件事可說是完全成功了。

大艙就在船長室的隔壁，我們大家奔到裡面，在安樂椅上坐下，互相歡談，因爲這時候我們覺得已回復了自由，實在喜極欲狂。那大艙的四角都是酒箱。假牧師威爾遜打開了一箱，取出十二瓶葡萄酒來，我們搶著酒瓶，把瓶頸敲斷，將酒注在一隻隻的玻璃杯中。我們正自狂飲的當兒，忽然聽見一陣槍聲，大艙中頓時充滿了煙霧，隔著桌子，竟已瞧不見人。等到煙霧散時，大艙裡已變成了一座屠場。威爾遜和八個人已血肉模糊地倒在地上。那時地上鮮紅色的血，映著桌子上的黃酒，實在很噁心，我至今回想起來，還覺得可怕。我們當時見了這種慘象，都很怯懼。假使沒有泊倫圖斯特，我們幾乎完全被制伏。他大吼一聲，像雄牛一般地直衝出門去。於是我們其他的人，都跟在他的後面。奔到外面，見船尾上中尉領著他手下的十個士兵，站在那裡。大艙的上面有一排活動的天窗，有幾扇開著，我們才知他們的槍彈就是從窗口裡打進來的。那時我們沒等他們重新裝好彈子，早已趕到他們面前。他們也不畏懼，仍站在原處。我們就先下手，不到五分鐘功夫，這幾個人便完全了結。我的天啊！像這種慘殺的事情，世界上也難得有了。泊倫圖斯特像魔鬼一般兇怒，他把那兵士們一個個像孩子般地提起來，不論生死，都丟在海裡。有一個中士傷得很重，但丟到海裡以後，還努力游泳，直到有人大發慈悲，開槍打了他的頭部，方才沈下。這一次戰爭完後，除了兩個獄卒、兩個船副和那醫生外，我們已完全沒有敵人了。

不料這時候我們自己人當中發生了爭執。我們有幾個人都覺得已回復了自由，很快樂，實不願再有謀殺的舉動。因爲我們把執槍的士兵打倒，原是情有可原，但若殺死被縛而沒有抵抗能力的人，則非原意。我們一共有八個人、五個囚犯、三個水手，都說我們不願意再把這五個人殺死。但這種見解不足以說動泊侖圖斯特和他那夥人。他說我們平安與否，就在我們幹這一件事是否乾淨俐落。他不願留一個活口，在將來案發時，站進證人席去。我們不斷爭論，我們八個人差一點被他拘囚起來。後來，他說如果我們不贊成他，不妨駕一隻小船先走，我們立即答應。因爲我們見了這種血腥的舉動，心中已非常難過，預料在這件事完成以前，勢必還有一幕更殘酷的慘劇。我們每個人都拿到一件水手衣，一大桶水，還有兩盒東西，一盒是餅乾，一盒是牛脯，此外另有一個羅盤，以便做航海的嚮導。泊侖圖斯特還把一張航海圖給我們，告訴我們要說我們是在在北緯十五度，西經二十五度遭遇沈船的水手，他說完了話，割斷了纜，聽我們漂流而去。

我親愛的兒子。現在我要寫到我的故事最驚奇的一部分了。當騷亂的時候，水手們已將前帆拉下，等到我們和他們分離以後，前帆又重新扯起。這時候有一陣東北風吹來，那大船順風前進，便漸漸地和我們的小船遠離。我們的小船，在那遼闊而寧靜的海面上載沈載浮。船中只有我和伊文思二人受過些教育。我們坐在帆下，察看航海圖，計劃著向那一個海岸駛去。這時有一個難題，就是向北五百里有浮次海角。非洲海岸是在東邊七百哩外。但那時候風勢忽然向北，我們想若能乘勢往西里亞蘭納去最好。於是我們便掉轉船頭，往這個方向前進。那時大船已遠，望去但見黑影一點罷了。

忽然間我們看見有一股黑煙直昇天空，像一棵怪樹一般，分明是從那船上產生的。數秒鐘後，又聞雷震似的巨響，傳進我們的耳朵。這時我們急忙又把小船重新變了一個方向，盡力划著，向那發生災禍的地方駛去，那時散不盡的餘煙，還在水面上迴繞不絕。

我們到那裡時，已隔了好久。起初我們覺得到得太遲，已來不及救什麼人了。有一隻破碎的小艇，還有些斷桅破板，浮在海面上，似在告訴我們那大船就是在這裡沈沒的。當時完全看不見任何的活口，我們正失望地想轉向的當兒，忽聽見一個呼救的聲音，在距離不遠處，有一個人躺在一塊斷板上面，順流漂蕩。我們便急忙赴援，把他救到小船上。他是一個年輕水手，名叫哈德遜。那時他受了灼傷，並且疲乏已極，不能夠說話，直到第二天早晨方才把經過的情形告訴我們。

據說自從我們離開大船以後，泊侖圖斯特和他的黨徒，便動手解決那留著的五個人的性命。那兩個獄卒中槍而死，隨即被丟入海中，三副也遭到同樣的命運，泊侖圖斯特又走到下艙裡去，親手把那不幸的醫生殺死。這時只剩大副一個人了。他是一個勇敢而機智的人，當他瞧見泊侖圖斯特帶著血刀走近時，他用力掙斷手足上的繩索，奔到甲板，鑽進艙尾裡去。

有十二個罪犯拿著手槍追過去搜他，見他正坐在一個開著的火藥桶旁邊，手中拿著一盒火柴。那船上本載著一百桶火藥，那是其中的一桶。大副向衆人說，如果他們要殺他，他必把火藥點燃，同歸於盡。可是一刹那間，火藥竟爆炸了。據哈德遜回想，一定是其中一個囚犯開槍誤中了火藥，不是那大副的火柴燒著的。但無論什麼原因，這一著便了結了葛羅利亞·史考特號，和那班劫船人的性命。

我親愛的孩子。這簡短的紀述，就是我當時親歷的恐怖事實。我們在第二天早上遇見一艘開往澳大利亞的霍茲普號船，於是我們就被救到了這隻船上。那船長聽了我們假造的故事，果然相信我們是沈船上的乘客。後來葛羅利亞·史考特號沈沒的消息傳了出去，海軍總部的人也深信是遭了意外，完全不知道事情的眞相。我們搭乘霍茲普號不久，便安然在雪梨登岸。到了那裡，我和伊文思二人，便改了姓名，從事採礦的事業。這班採礦人中，各國的人都有，彼此既非熟識，我們便也很容易把我們的過去隱藏起來。

其餘的事情我也不必再說了。我們發達以後，便啓程回到英國，購置產業，享清福。二十多年以來，我們的生活非常安閒逸樂，我們也希望那已往的祕史永遠不再暴露。因此，當那個水手來見我們，我立刻認出他就是當年我們從斷木上救起來的那個人。試想我當時心中會有怎樣的感想？他不知怎樣找到了我們的蹤跡，便想利用勒索的手段，靠著我們過活。你現在可以明白，我當時所以竭力容忍他，不敢拂逆他的意思，就因怕他宣露我們過去的歷史。現在他已離我而去，去找另一個人了，但他臨去時的語氣還是充滿了恫嚇的意思，以後會如何，我眞不知道了。』

在這一篇紀事的後面，另有兩行扭曲的字跡，顯見寫的時候手已顫抖不止。那字道：『斐杜司寫一封祕密的信告訴我，哈德遜已完全說出來了。慈悲的上帝！可憐我們的靈魂吧！』

華生，這一篇故事就是那天晚上我讀給維

克托·德蘭佛聽的。這事的原委也可算是離奇曲折的。維克托自從經歷這一次的慘變，幾乎心碎，便遠行至特雷種茶，後來我聽說他非常發達。至於那水手哈德遜和斐杜司二人，自從發了那警告的祕密信後，便都不知去向，以後也沒聽見什麼消息。而警局並沒有接到這種舉發，因此，可知哈德遜只是恐嚇罷了，但斐杜司竟誤信是眞的。據有些人說，曾見哈德遜在附近潛伺匿伏，故警察們認爲，他也許把斐杜司殺害了後，悄悄逃走。但我的意思卻正好相反。我以爲斐杜司既已被迫，並且相信已被哈德遜告發，復仇心起，就將哈德遜殺死滅跡，然後帶著所有的現款逃走。華生，這就是我第一件案子的情形。你如果覺得有記載的價值，你大可自由記述的。」

不幸的書記（原名 The Stockbroker's Clerk）

我結婚後不久，就在柏亭頓買了一間房子。那屋子是向法魁漢老先生買的，他本是一個事業發達的醫生，只因後來年紀大了，身體也一天天的衰弱。人們都以爲世上的良醫身體必定很強壯，像他那般衰老的病態，自己都難療治，當然也不能醫人了。因爲這個緣故，他的醫業就一落千丈，由每年賺一千二百鎊，減落到三百餘鎊。我既買了這個醫室，便自信像我這般年輕力壯，懸壺應診，大約數年之間就可恢復以前的盛況了。

在此後的三個月裡，我忙於醫務，不能到貝克街去拜訪我的朋友歇洛克・福爾摩斯。這時他的偵探事務也很忙碌，因此無暇到我新屋來，但在六月某天的早晨，我才吃完早飯，正坐在室裡讀《英國醫學日誌》，忽聽見刺耳的門鈴聲響了一陣，接著就聽見極熟悉的說話聲，我認出就是我的同伴的聲音。

他昂然走進室中，向我說道：「啊，親愛的華生，我眞高興看見你啊。我想華生太太跟著我們偵探那冒險的『四簽名』案後一定很疲累，想必現在健康無恙了？」

我誠懇地緊握他的手，說道：「多謝你，我們倆都很好。」

他坐到安樂椅裡，繼續說道：「我也眞誠地希望你們都很好。以前我們倆同住的時候，一同偵探奇案，諒你也覺得很有趣，但現在你在醫務之外已沒餘暇幫助我了。」

我答道：「恰好相反。昨天夜裡，我還看

著我的老紀錄，並把我們經歷的幾件奇案分了一個類目。」「我想你對我的紀錄想必是認爲多多益善，決不願就此結束吧？」我道：「當然是。我正想請你把新探的案加入我的日記，並且也願意幫助你偵探案件。」「今天我可能就需要你的幫助呢！」「啊！今天，也好，隨便。」「那麼，你願意陪我一同到伯明罕去嗎？」我道：「只要你願意，我當然很樂意。」

福爾摩斯道：「但你怎麼對付來就診的人呢？」

我道：「我可把事務委託鄰人。以前他外出的時候，我常替他代理，現在他當然也願意代理的。」

福爾摩斯歡呼道：「哈！那眞是再好沒有了。」說完，他靠在安樂椅中，瞇著眼睛，回頭看我，忽道：「我猜你近來身體微恙。在夏天生病想必更覺不適了」「我在上星期，患了小病，有三天沒有出門。但現在已完全痊癒了。」「雖然你病剛好，但此刻氣色好極了，毫無病態了。」「啊，那麼，你又怎麼知道我病了呢？」「我親愛的朋友，你應該知道我偵探的歸納法。」「那麼，你怎樣推斷這事的呢？」「我自然能夠推斷的。」「你從何處著手的？」「就從你所穿的鞋上。」

我呆了一會，看著我的腳上所穿的新鞋，囁嚅說道：「鞋子上又有些什麼，你能據此推知我生病了呢？」但福爾摩斯卻已回答我的問題了。

他道：「你的鞋子很新，大約穿過不到幾個星期，但鞋底卻已有了燒焦的痕跡。我起初以爲是那鞋子或許浸了水，在火上烘烤，才會這個樣子。但在焦痕的地方，還留有鞋匠用做商標的小紙，卻依舊完好，才知道不是。因爲假使鞋子浸了水，那紙必已潮濕而脫落了。所以我知道你一定坐在壁爐前，伸著腳烤火，才烘成這般焦痕。但在夏天卻怕寒要烤火？那麼，你必定患著小病無疑了。」

我聽了福爾摩斯的解釋，才明白他知道我患病的理由。他看著我微笑，但他的笑容卻有些挖苦的意思。

他道：「我和你閒談，幾乎忘掉了我自己的事情了。現在的這件事，我只曉得它的結果，卻不明白它的起因。實在很傷腦筋呢。但你果眞打算和我到伯明罕去嗎？」「當然去，但究竟是什麼事啊？」「那件事我到途中再告訴你吧。我的那輛四輪馬車，正在外邊等。你能立刻動身嗎？」

「只須再等一會。」我說完這話，就寫了一張字條，給我的鄰人，又跑上樓去告訴了我的妻子，就和福爾摩斯一同出門。

到了門外石階上，他忽向我道：「你的鄰人也是一個醫生嗎？」「是的。」「他家也是一所老診所嗎？」「正和我的屋子一樣。他幹這行，和那屋子一樣久了。」「唉！他的生意，大概比你來得冷清啊。」「我想是的。但你怎麼知道的呢？」「我的老友，我知道這事，就從這個石階上。你看你的石階，比他家的深陷三吋，就可以知道了。」「華爾·柏考洛甫先生正在我的車子裡等著我們，他就是把這事委託我的人。我們快些登車，這事在路上講吧。」

我們上車以後，那人就和我互相爲禮。他是一個活潑的法國青年，態度溫文，誠摯的臉上蓄著黃色的鬍鬚。他帶著漂亮的高帽，身上的衣服都是黑色，顯出他是個漂亮的城市人，就是人家稱「倫敦佬」的那種人。但他那種英式的氣概，卻是英國三島中難得瞧見的，就可以推想他以前必定進過義勇隊，才能夠這樣英武矯健。他圓潤泛紅的臉上，露出自然愉快的感覺，但這時唇角下垂，隱約藏著悲傷。我不知他有什麼憂愁的事，才要來找歇洛克·福爾摩斯。我這樣默自忖度，一直到我走進開往伯明罕的頭等車裡。

我們在火車中坐定以後，福爾摩斯說道：「我們大約需要七十分鐘才可到目的地。華爾·柏考洛甫先生，我請你現在把你以前所告訴我的事情，再向我的朋友陳述一遍。請你說得更詳細些，我們才能得到更多線索。華生，這樁事或許要發生一些危險，或許能平安無事。不過這卻是一樁極詭祕的事，很難解釋，諒你也和我有相同的見解。現在且讓柏考洛甫先生來陳述，我們不要打岔他的話了。」

我們那青年委託人，以他閃爍的眼睛，瞧著我道：「像我這樣受人愚弄，真是不幸。雖然目前的事情，對我還沒有什麼不利，而我的生活也沒有什麼特別的損失，只是我成日像做夢一般，幾乎像小孩子般被人作弄。華生醫生，我目前的處境，簡直離奇得和小說中的情節一般，卻又完全是事實。我以前在特蘭伯廣場旁的康格遜·何德化司商行裡當書記。但在今年春天，那商行因欠委內瑞拉人的債，以致破產，諒你對這事應該還記得。我在那商行執業五年，老康格遜曾給我一張證書，證明我的能力。不過那商行既已關閉，凡在行中的人，自然不得不另謀別事了。那行中和我一樣的人共有二十七個，我也和他們一樣急於謀職。但在這人浮於事的當兒，要謀一個職位，卻也很難。我因此就閒居了很久。我在康格遜商行裡辦事的時候，每星期可得三個金鎊，我雖竭力積聚，也只存了七十金鎊左右。我支撐不久，就漸漸用完了。在這財盡力窮的時候，我雖一再寫毛遂自薦的信，卻總得不到那些巨商的錄用。我想假使沒人能夠賞識，恐怕我的生活無法再維持了。但我正窮途末路的時候，忽然瞧見報上的廣告——龍巴德街的莫森・威廉斯公司刊登徵求書記的廣告。我以在商行的經驗，深知那街上的商號，都是倫敦最富有的商店。那公司廣告載著：如有人願去應徵，只須自己寫一封推薦信給他選擇。因此，我就寄了一封信，並把那張康格遜公司給我的證書一同附上，希望就此能得到一個職位。隔了幾天，那回信來了，叫我在下星期一到那裡去接洽一下，便可以得到新工作了。我後來探聽到那公司收到的推薦信很多，但他捨取的方法我卻不知道。或許那經理人把推薦書聚在一塊，隨手檢取一封，我不知怎樣幸運，竟能被選中。並且那信中說到我剛開始每星期領有一鎊的薪資，而以我的能力做那事務，也一定能勝任愉快。但我現在卻籠罩在愁霧裡。我本住海姆斯丹區附近的波特街十七號。當我收到這封回信時已是黑夜，我正坐著吸煙，獨自想想明天接洽的情形。我的房東太太忽推門進來，給我一張名片。我見那上面印著『亞瑟・平南，財政經理人』，我以前並沒聽過這個名字，也和他毫不相識。但他卻突然前來看我，不知有什麼事情，我那時就叫她請那客人進來。一會兒，那人就走進屋內。他是一個中等身材的人，眼睛和頭髮及鬍鬚全都是黑色。他的鼻子微微有些光亮，講話和舉動都很急迫，好像是一個大忙人，十分愛惜光

陰似的。他道：『你就是柏考洛甫先生嗎？』『先生，是的。』我答話時，就請他坐到椅子

他道：「你就是柏考洛甫先生嗎？」

上。『你以前不是在康格遜·何德化司商行當書記嗎？』『是的，先生。』他道：『現在你又被莫森公司錄取了？』『的確是。』。他道：『很好，我聽說你的商業經驗和對各種經濟的職務都很擅長。你現在還記得伯克這個人嗎？他以前就是康格遜商行的經理，他和我是朋友，常

稱讚你的本領的。』我聽了這番話很愉快。我以前在那商行裡固然很能幹，現在我已離開了，卻還有人稱讚我，眞意想不到。我自然要快樂極了。他道：『你的記憶力很強嗎？』我很恭敬地回答道：『自問還不差。』『你自失業以後，對商業的情形還留意嗎？』我道：『我每天總要看證券交易所的牌價表，不敢荒棄。』『那很好，足見你自己很努力。我現在要以各公司的股價價目來問你，藉此考驗你的能力。你願意嗎？現在我先問你，亞瑟公司的股票，是什麼價格？』我道：『一百零五鎊至一百零五鎊又四分之一。』『紐西蘭貿易公司呢？』『七十至七十六鎊。』他聽完了，舉起手，歡呼說道：『眞是太稀奇了！你的回答完全符合我所了解的行情。我的朋友，我的朋友，你眞是一個能幹的人。你就甘願只做莫森公司的書記

嗎？』先生，你想我聽了這話，豈不很驚訝。那時我就說道：『好了！那不過是伯克先生在你面前的過譽。我自從失業後已嘗了不少苦頭，自然樂意接受這個工作了。』他道：『唉！先生，以你這樣的才能，又這般勤儉辦事，難道你對這個工作已滿足了嗎？現在，我老實告訴你，我有一個職務想委託你。雖然有點侷限，不能完全發展你的本領，不過比莫森公司的職務要高些。你打算什麼時候去莫森公司呢？』『星期一。』『唉！唉！我想我應當勸止你，不要只接受這種小事。』『你爲什麼不要我幹莫森公司的職務呢？』他道：『先生，我想介紹你到法蘭西內地五金有限公司當經理。那公司在法國各地共有一百三十四個分公司，布魯賽爾和聖雷莫兩處還不在內。』我聽了很驚訝，問道：『我以前怎麼沒有聽過這個公司的名字呢？』他道：『那的確是。因爲這家公司的資本都是私人的。而且生意興隆，因此公司的股東都嚴守沈靜，不願讓外人知道，你自然就沒聽過了。我的兄弟哈立·平南也是發起人之一，後來升做該公司的總經理。他事務繁多，知道我到這裡來，就叮囑我選一個能幹的人幫他辦事。他所選的人，必須是一個能幹的青年。因爲我聽伯克談起了你，就在今晚急著前來拜訪，並且請你答應我的請求。假使你答應了，我們目前願先給你五百鎊的薪俸……』我問道：『每年五百鎊嗎？』他道：『這只是剛開始的數目，以後還會增加。假使賺了紅利，會把百分之一的營餘做你的酬勞。並且公司給你當經理，以你的才幹，定能擴充公司的業績，那時紅利自然比薪俸多了。』我道：『但我對於五金貿易毫無經驗，自問不敢就擔任這樣的重務。』他道：『唉！我的朋友，你商業的本領既好，這事自然也能夠勝任的。』我聽了這話，不禁有些兒目眩神搖，幾乎不能安坐椅中。但我疑慮的思緒，也不禁隨之而來。便道：『我很感謝你的盛意。我在莫森公司裡只是個備員，每年的薪俸也只有二百鎊。現在我到你們那裡去辦事固然很好，但我對於你們公司的情形，僅限於你所告訴我的一些情形。恐怕……』『啊！放心，放心！』他接著歡呼說道：『像你這樣能幹的人，到我們公司裡辦事，公司的業務得此大力必能越發擴充。現在這裡有一張一百鎊支票，假使你願接受我的請求，請你先收了下去，別的薪俸，以後再陸續給你。你總可安心了吧？』我見他這樣有誠意，就馬上做了決定。我就道：『謝謝你的盛情，我答應你的請求。但我什麼時候接受這新職呢？』他答道：『明天下午一點，請你去伯明罕報到。我有一封介紹信，請你帶給我的兄弟。他住在克伯蘭勳街B座一百二十六號，那邊就是公司的臨時辦公處。你和我兄弟接洽後，就能和我們一同和睦辦事了。』我道：『平南先生，承你這般好意，我眞的不知怎樣能報答你呢。』他道：『我的朋友，快不要這樣。這是你應得的待遇。但我還有一二樁小事——是形式上的手續，請你照辦。現在請你拿一張白紙，在上面寫著：「我願做法蘭西內地五金有限公司的經理，薪金至少五百鎊。」』我照著他的話寫了，他就把那紙折好放在袋裡。他道：『這裡還有一事問你。你對於莫森公司的那件事，預備怎樣應付呢？』我這時快樂已極，幾乎已把莫森公司的事完全忘掉。我就回答道：『我寫封信去回絕他好了。』他道：『但我卻不願你這樣做。因爲那天我和莫森公司的經理曾說起了你，並和他商量請你到我公司裡做事。他很生氣，說我不應挖你到我公司中辦事而不讓他用。最後我也發了怒，就向他道：「假使你要用這樣的人才，必要給他豐厚的俸祿才行啊。」他也回道：「他在我的公司裡雖然薪俸很少，但我知他決不會受你的厚俸的。」我就道：「那麼，我可和你賭五金鎊。假使我厚待了他，他決不會再幹你的事。」他呼道：「好！我們將他從窮苦之中救出，他當然要報答我們的。豈能就因著你多出薪俸，就捨棄我們啊。」這是他向我說的話，不能不告訴你一聲。』我呼道：『這眞是個無禮的人了！我從沒有瞧見這樣無禮的人。我還要以禮相待嗎？現在讓他去吧。我也不願寫什麼信去回絕他了。』他站起身來說道：『好極了！你已答應了我。我很僥倖我的兄弟能得到你這般有本領的人前去相助。這是我的介紹信。你在明天下午一點鐘時可到克伯蘭動街B座一百二十六號去會見我的兄弟。我祝你前途光明。再會吧。』這是我敍述當日我和他會面時的談話，一點也沒有保留。華生醫生，請你們想想我那天能碰到這種幸運，心中眞是萬分快樂。那夜我快樂得無法入睡，坐了一夜。隔天，我乘車到伯明罕去接受我的新工作。到了那裡，就把行李擺在紐和街的一家旅館裡，接著就照著介紹信上的地址，去拜訪我的新主人。我到那裡時，還沒有到一點鐘，但和我們約好的時間，已相差不遠了。克伯蘭動街B座一百二十六號的屋子，是夾在兩座大商店的中間。進門有一道白石的扶梯，我到了樓上，見那裡都是各公司和專門經紀人的辦公處，公司和經紀人的姓名，都掛在牆上，但法蘭西內地五金公司的名稱我卻都沒有找到。我在那裡呆站了一會，心中不禁感到奇怪，疑惑那人昨夜告訴我的全都是騙人的假話。正在這時，忽見有一個人上樓和我招呼，我一瞧那人的樣子和聲音，很像我昨夜所見的亞瑟·平南，只不過他的面貌稍微光潔一些，他的頭髮也來得光亮些罷了。他就向我說道：『你可就是華爾·伯考洛甫先生嗎？』我道：『是的。』他道：『啊！果然是你來了。但你來的時間，卻比我們約定的時間早一些了。我今天早上得到我哥哥的來信，他很稱讚你的長才，眞使我十分敬慕。』『不敢不敢。我找不到你們的公司，幸虧你來了。』他道：『我們因爲上星期方才租在這裡。因此公司的名稱，還沒揭示出來。現在請你跟我同來，我正有一些話要向你說呢。』我跟著他上了最高的樓層。那裡有一間狹小而汚穢的房間，當中卻一無陳飾。我和他走了進去，室中只有一個寫字檯和二個陳舊的椅子，檯上只有一本帳簿，和一個破舊的紙皮箱攤在那裡。這眞和我想像中的大公司內應有的陳設完全不符，瞧了很使我詫異。但我的新主人，瞧見了我詫異的臉色，就道：『柏考洛甫先生，請你不要疑惑。這裡因才開辦，所以各種陳設都還很簡陋。但我們的資本卻很充足。現在且請坐下，把你的介紹信給我吧。』我就把介紹信給他，他把那信細細瞧了一遍。他道：『我的哥哥亞瑟確實很會識人，才能把你這樣能幹的人推薦給我。他在公司裡，是管倫敦方面的貿易，我則駐在伯明罕。你旣到了這裡，儘可放心辦事。』我問道：『我做些什麼職務呢？』他道：『稍等幾天，我自然會請你做我們公司裡的經理。因爲我們現在想要在巴黎設立一個大貨倉，凡從英國運去的貨物，都會先運進這貨倉，然後再分運到法蘭西全境的一百三十四個分公司中銷售。只是那貨倉的成立還須再一星期的時間。請你在這時間內，且在伯明罕暫住。』『這時，我先做些什麼事呢？』他聽了我的話，就打開抽屜，取出一本紅封面的巨大書籍來，遞給我道：『這是巴黎的《商界人名錄》，在各人姓名之下詳註著他們的營業狀況。你可帶回旅館去，仔細翻閱。假使其中有經營五金行業的人，請你把他們的地址記錄下來。這對我們有很大的用處。請你抄好了就給我吧。』我提議道：『是的。但這裡不是已有幾張商人的分類表嗎？』『不是，這是另一種分類法，和我們的完全不同，並且也靠不住的。因此必定要請你翻閱一遍，才能得到頭緒。你現在且把它帶去，在星期一的十二點時，再把它還我吧。柏考洛甫先生，現在再會吧。假使你勤力辦事，以後你一定可做我們公司中的一個好經理的。』我把那本巨大的書冊挾在臂間，帶回了旅館。我的思緒卻在胸中不停地起伏。一方面我的職位既定，還有一百鎊進了囊橐，似乎不用疑慮了。但在另一方面，那辦公處那般簡陋，公司的名牌又沒掛在牆上，並且我接觸的種種狀況都很引起我的疑心。我那時雖然心中不安，但事已到此，也沒有什麼別的良法。況且我已受了他的薪俸，也只好聽他的話，盡我的職務了。因此星期日的一天，我就盡力工作，不曾休息。但到了第二天，我卻只整理到H的部分。我只好帶了這書，到我的新主人那裡。但室中卻依舊和前天一般毫無陳設。他把書看了一遍，叫我到星期三再去。到了星期三，我仍沒把書看完。直延到星期五，方才完畢——這就是前天，我就急忙帶了那書，去見哈立・平南先生，他慰勞我道：『多謝你，這事很煩雜的。真辛苦你了。我得了這書，幫助不小呢。』我道：『我幾次誤了期，心中眞是抱歉。』他道：『現在我還有一事請求。請你把巴黎各器具店做成一張表，因爲他們也大都做五金貿易的。』『好。』『那麼，你明天晚上七點鐘，再到我這裡來吧。我知道你勤於辦事，但也不宜過分勞頓。有空的時候，晚上可到日日音樂廳中去欣賞音樂，舒緩一下壓力。』他說著，向我微笑。這時我瞧見他的嘴裡左邊的第二顆牙齒也是鑲金的——和他的哥哥一樣。」

歇洛克・福爾摩斯聽到這裡，拍著他的雙手，很是愉快。我也不禁以詫異的眼光瞧著我們的委託人。

他道：「華生醫生，諒你也覺得這事稀奇了。但這卻是確實的情形。因在他到倫敦來看我的時候，他曾經因我拒絕去莫森公司而笑，我無意間瞧見他嘴中的牙齒。我見那第二顆也是鑲金的，這時我想他們的聲音態度既完全相似，所可辨別的就只有頭髮了。但假使換一種假髮，或用一把剃髮刀也可以辨到。那麼我前後所遇的就是同一個人了，但他卻裝成兄弟來騙我。我想，他們的面貌雖或相像，但怎麼連牙齒也不差分毫呢？我想著這事，心中很是驚懼，就辭別了他出來。我走到街上越想越懷疑，眞好似墮入了迷陣。我回到了旅館裡，又凝神靜思。他爲什麼叫我從倫敦到伯明罕來？又爲什麼要比我先到那裡，裝成兄弟，和我接洽？並且他爲什麼還要自己給他自己介紹信？這許多問題，聚集在我的胸中，詭祕複雜，實在想不出原因來。這時我想起這許多疑難的問題，我雖然不能瞭解，但遇到了歇洛克・福爾摩斯先生就不難完全明白了。因此，我就乘了夜車回來，今天早上，就來拜訪先生。這時才能和你們二位一同到伯明罕去。」

我們的委託人，把他所遇的事情講完以後，我們都沈默無言。歇洛克・福爾摩斯斜坐在椅上，臉上露出得意的表情，好像他已思索得到什麼頭緒。一會兒，才抬起頭看著我。

他道：「華生，你也覺得他委託我的事有趣嗎？我現在想和你們兩人一同到法蘭西五金有限公司去，拜訪那個亞瑟・哈立・平南先生。你們兩人，都願意和我同去嗎？」

我問道：「但我們用什麼藉口前去拜訪他呢？」

華爾・柏考洛甫插口道：「啊！這是很容易的事。你們兩人可以說是我的朋友，因為失業，託我帶你們去見經理，請他錄用。諒不會起他的疑心的。」

福爾摩斯道：「很好。我們就這樣吧。我如果看見那個商人，我就能從他身上，得到一些線索了。我的朋友，你到底有什麼特殊的本領，能使你的主人這般的欽佩呢？或許他重金相請，另外有什麼特別的用意……」他說到這裡，忽想到了什麼，就停頓不說，咬著指甲，眼瞧著窗外，不再作聲。那時火車已到了伯明罕，我們就先到紐和街的旅館中去休息。

到了晚上七點鐘時，我們一同步行到克伯蘭勳街的公司辦事處去。

我們的委託人一面走著，一面向福爾摩斯道：「此時已到我們的約定時間了。他只在約定的時間裡到那裡去和我接洽。假使早去了，那裡也無人，不會有什麼發現的。」

福爾摩斯說道：「這也是一種研究的資料。」

這時柏考洛甫忽叫道：「天呀！我告訴你們。前面向我們奔來的就是他啊！」

奔來的是一個身材矮小的人，衣服很整潔。他從路那旁的人行道上奔來，腳步很快。當我們仔細向他瞧時，見他跑到一個賣報的小孩那邊買了一份晚報，握在手中，就匆匆奔進一家巨宅的門裡。

華爾·柏考洛甫叫道：「他奔進去的那家，就是我們公司的辦公處了。你們和我一同進去，就可和他相見了。」我們就跟著他走到第五層樓上，到一間半開著門的室外。我們的委託人，用手指敲了敲門，有一個聲音向我們說道：「請進來。」我們就應聲走進。那屋裡的陳設顯然像柏考洛甫所說的一樣簡陋。在寫字檯前，有一個人坐在那裡看晚報，那人就是我們方才在街上所見的。他見我們進去，抬頭看著我們，我見他面色灰白而帶憂愁，像有很大的禍患將至，才這般驚嚇。他的額上，汗珠淋淋，面頰死灰，像魚肚一般泛白。他的眼珠也突了出來，他呆瞧著他的朋友，好似已不認識，柏考洛甫見了這狀，也不禁大愕，詫異他的主人怎麼忽變了常態。

柏考洛甫道：「平南先生，你的身體似乎不大舒服啊。」

那人竭力裝出鎮定的態度，先舐著他乾燥的嘴唇，才慢慢答道：「是的，我的確不大舒服。那兩位和你一同來的是什麼人呀？」

我們的委託人指著我們答道：「這位是伯孟奇的亨利先生，那位是普利司先生，是本地人。他們都是我的朋友，他們的商業經驗很充足，但現在都失業，知道我們公司裡正需用職員，所以託我介紹給你，希望請你錄用。」

平南先生強笑著叫道：「可以的！可以的！我一定可以滿足你的要求。亨利先生，你有什麼本領呢？」福爾摩斯道：「我以前是個會計師。」「啊！是了。我們正需用你這樣的人才。普利司先生，你有什麼專長呢？」我道：「我以前一向做書記。」「你們這些人才，都是我們公司裡極要招請的。等我和我公司裡的同事商議後，再給你們回信吧。現在你們請先回去，讓我且休息一會。」

他說這句話時，意思很堅決，就坐下去不理我們。福爾摩斯也和我相視無語，但華爾・柏考洛甫卻走近他的桌前。

他道：「平南先生，你昨天約我到這裡的事情，你忘掉了嗎？」

他淡然回答道：「啊！柏考洛甫先生，請你在這裡稍等一刻，你的朋友也可在此稍等。先讓我到裡面去考慮一下，三分鐘後，再給你回音吧。」他說完了，就從椅上站起身來，走進裡面的一間房間。他進去，順手把門關上，但他的神情，卻很安閒。

福爾摩斯低聲說道：「現在他做什麼？可是想逃跑嗎？」柏考洛甫答道：「不會的。」「為什麼？」「那間房子沒有其他的出口，只有一扇進去的門。」「那裡確定沒別的出口？」「沒有。」「那麼，裡面可有什麼陳設呢？」「昨天我看過裡面，沒有什麼陳設。」「那麼，他進去能幹什麼呢？這種詭異的舉動，我眞不能測度。並且三分鐘過後，他又怎麼回答你呢？難道他非常驚恐，發了瘋了？」

我道：「他或許已察覺了我們的行蹤，故而逃避開。」柏考洛甫道：「這或許是意料中的事。」福爾摩斯搖搖手，說道：「不對，他的面容慘淡，我們進來時就已如此。應當不是爲了我們這事，或許是……」

這時忽有一個尖銳可怕的聲音，從那扇關閉的門內傳出，把福爾摩斯的話打斷。

柏考洛甫叫道：「奇怪極了！難道他自己在那裡敲門嗎？」

一會，那奇怪的聲音，更加大聲。我們都呆瞧著那扇關閉的門，我瞥見福爾摩斯的面孔忽變得嚴肅，他的神情也似很驚嚇。接著，又有一個低弱的呼聲傳出，聲音斷斷續續好像已不能連接。福爾摩斯突然跳到那關閉的門前，想推開那關上的門。但門從裡面關上，一人獨力難開。我和柏考洛甫上前幫他，竭力把門弄壞，才得以進去。但裡面卻是一間空室。這時，我們又見對面有一扇小門，那聲音就是從門內傳出。我們又奔到那裡，弄開了門，奔進去。見一件外套和背心丟在地板上。我們不禁吃了一驚，抬頭四看，見門邊高處的鉤上，垂著一條帶子，有一個人懸吊在空中。那就是法蘭西內地五金公司的經理已在那裡自縊了。那帶子圈住他的頸子，幾乎完全陷進了肉裡。他的頭部垂下，雙膝屈著，雙腳恰抵在門上，方才我們聽見的聲響，大概就是他雙腳

我們竭力把門弄壞，才得以進去。

抵住門時所發出來的。這時我急忙走到他的身旁，抱著他的腰部，把他的身體舉起。福爾摩斯和柏考洛甫就一同解開懸掛他的帶子，把他的身體解下。接著，我們就扛著他走到外面的房間中，讓他橫臥地上。他面色死灰，紫色的嘴唇，微微顫動。從他上吊到得救，大約有五分鐘的時間。

福爾摩斯問我道：「華生，他還有救嗎？」

我就走到他的身旁仔細診察，他的脈息跳動很弱，但他的呼吸卻漸漸深長，不像方才的短促。一會兒，他的眼珠可微微轉動了。我道：「他的傷很嚴重，但已有復活的希望了。現在先開窗戶，快把冷水給我。」我跪在他的身旁，用冷水澆在他的臉上，並解開他的衣領，又捉住他的手臂上下伸動，施行人工呼吸。等到他呼吸正常爲止。

我才站起身來，說道：「待會兒他應該可以甦醒了。」

福爾摩斯站在寫字檯前，雙手插在褲袋，低著頭。

一會他才抬頭道：「現在我想應該叫警察來了。等他們來後，我們就把所知的事告訴他們吧。」

柏考洛甫搔著他的頭，叫道：「這眞是怪事了！他既要我來到這裡，很像要委託我做事，但現在卻……」

福爾摩斯嗤鼻道：「哼！現在事實的眞相已完全明白，這不過是最後的結果罷了。」「你已完全明白了。那麼，這究竟是什麼事呢？」「我確實都明白了。華生，你的意見怎樣呢？」我聳了聳雙肩，說道：「我卻好似入了迷陣，仍完全不明事實。」「啊！這是很淺顯的事。假使你把前後的情節連貫起來，思索一下，就能完全明白了。」

「這究竟是什麼緣故呢？」

「這案有兩個關鍵：第一個，就是他和柏考洛甫接洽之後，還要叫他寫一張願意進他們公司辦事的證書。你可有覺得這事奇怪，他到底有什麼用意呢？」我道：「我眞疏忽，我卻沒有注意這點。」

「好了。這並不是商場的規例，因爲商場中用人只需口頭約定，並不要立什麼文字的字據。他做這事，並不是爲了愼重起見。你可曾注意，我們的青年朋友，這一點不過是要騙你的親筆的字跡罷了！。假使不是這樣，怎麼能騙到手呢？」

「那麼，他騙到了手，有什麼用處呢？」

「那用處嗎？我們回答了這個問題，也解決了這事的玄妙。爲什麼呢？那是很容易明瞭的。那只不過是有人要學你的筆跡，以你的字做藍本罷了。現在我們再討論案中第二個關鍵，我們就可明白這事的關係了。就是平南阻止你向莫森公司寫辭職信。這不過是讓莫森公司的經理，不知道這事，以爲在星期一的早上，他們公司裡，眞有一個華爾・柏考洛甫前去就職呢。」

我們的委託人叫道：「我的天啊！我怎麼這樣蠢？我竟會這般受人愚弄！」

「你現在可明白他要你親筆字跡的原因了。你想既然有人冒名頂替你前去就職，假使他的字跡，和你推薦書上的字跡，完全不同，那事的眞假，自然立刻被識破。因此，他必要得到你的字跡，摹倣相似了，才能遮掩人家的耳目。他也必定知道你和莫森公司裡的人，都不認識，才敢冒險從事。你道對嗎？」

　　華爾·柏考洛甫嘆息道：「究竟這事有什麼主要的作用呢？」

　　「那也很容易明瞭。只不過有人要冒充你，混進莫森公司裡去辦事。又恐怕你住在倫敦洩漏機密，故而造出那五金公司，以厚俸騙你離開倫敦。又以一件繁重的事，委託你辦，使你專心一志，無暇他顧。那時你的化身，在莫森公司裡，儘可暢所欲爲了。你現在都已明白了嗎？」

　　「但是那個人假冒兄弟兩個，又是什麼用意呢？」

　　「那也很容易瞭解。這不過因爲他們的同黨，只有兩人。一個已冒充你混進茂森公司，另一個既假說了五金公司，當然不能不用一個經理故佈疑陣，和你周旋，免除你的疑惑。因此他不得不扮演兩個角色。雖然你發現他們長得非常像，但想必只會認爲是兄弟才會長得一樣的關係。假使不是你看見了他鑲金的牙齒，也不會察破這中間的祕密啊。」

　　華爾·柏考洛甫把手向空中揮著，叫道：「天啊！我怎能曉得還有一個華爾·柏考洛甫這時在莫森公司裡胡搞呢！福爾摩斯先生，現在我們要做什麼呢？快告訴我，我現在要怎樣處理這事呀？」「我們先拍一個電報給莫森公司，問問他們再說。」「今天是星期六，十二點以前，那裡必已關門了。」「那倒不必愁慮，總會有守門的人或職員在。——」「啊！是了。我知道他們公司的重要證券都藏在公司裡的，那裡也必有人留守保護的。」「那很好！我們快去拍電報給他們吧。我們可詢問公司裡的近況，順便詢問有沒有一個化你姓名的書記在那裡辦事。假使有，那事就完全明白了。但我現在還有一事不解。怎麼他見了我們進來，就走到內室上吊？這眞是出我意外的舉動了。」

我們說時，忽有一個低促的聲音向我們說道：「報紙！」我們回頭看時，那人已坐了起來。他的臉色仍和死灰一般青白，但他的雙眼已恢復，雙手也能轉動，正撫摸著頸上的紅痕，像很痛苦。

福爾摩斯的態度頓時興奮起來，說道：「報紙嗎？那倒是。我只注意了這人，就把那報紙忘掉了，也沒看看。這時想必他們的詭計，已敗露，報上早登載著這事了。」說著，就從檯上拿起報紙略瞧一遍，就給了我。

他叫道：「華生，快看這裡。這是倫敦的晚報，他發行的時間很早，因此已到這裡了。現在請看這個標題：『城中搶案。茂森公司內的大盜。大膽的兇犯，已經捕獲。』華生，這不就是我們想知道的事情嗎？請你快讀一遍給我們聽吧。」

報紙上記載著的就是這事的起因。那是倫敦的一件重大搶劫案。記載如下：

「今天下午，倫敦發生一件重大的搶案。被逮捕的兇犯曾殺死一個人；被盜的公司，就是經營股票的莫森公司。該公司營業額很大，儲存在公司內的股票數目龐大，公司常恐引起盜賊們的劫掠，因此嚴加防範。他們把股票藏在堅固的保險櫃內，並且還僱了一個守衛日夜看守。但上星期，公司裡新雇了一個書記華爾·柏考洛甫。此人很像私製偽幣的嫌犯皮丁敦。此人和他的哥哥，因同犯了私製貨幣的罪，判刑五年，近日方才獲釋。不知何時改了姓名，到公司裡充當書記。他既擔任那個職位，就能在公司裡自由出入，因此被他探知了保險櫃的密室，和鎖鑰開關的方法。莫森公司星期六下午照例放假半天。城裡的警察長都森一點二十分時在那裡巡查。忽見一個人從那裡出來，拿著一只絨氈錢袋，神情很是慌張。他見了感到十分奇怪，便尾隨他。路上恰遇一個名叫泊洛克的警察，就一同上前逮捕他。那兇犯還竭力抵禦，他們兩人盡了全力才抓住他。他們在他袋中搜出美國鐵路公司的公債券，價值近十萬金鎊，此外還有礦務和其他公司的巨額股票。他們看了，才知道已出了大事，慌忙趕進莫森公司，詳細勘驗。在藏著保險櫃的密室裡，見那個守衛的人，已碎顱而死。無疑是皮丁敦在這天下班之後，假稱遺忘了什麼物件，又回到公司，趁此機會，偷溜進那間屋子，把守衛的人殺死，然後就把那鉅額的債券捲款逃走。假使沒有都森警察長發現這案，那麼，星期一的早晨，他必逃遁無蹤了。現在皮丁敦既已被捕，自知不能抵賴，就完全招認這件事。他的哥哥一向與他一起作案，這事想必他也有分。現在警方已四處偵拿，不久應可將他逮捕。」

密柬殘角（原名 The Reigate Squires）

一八八七年的春天，歇洛克・福爾摩斯先生因為偵查一件鉅案，操勞過度，身體尚未復元。那件荷蘭蘇門答臘公司的問題，和巴郎摩帕透伊的鉅大計畫還留在大家的腦海裡，因為它們與政治和財政的關係密切，所以我不便記錄。不過那件案件非常複雜，為我友在一生與罪犯奮鬥的歷史裡，憑添上鮮明光榮的色彩。

四月十四日，我接到里昂來的一封電報，說福爾摩斯病倒在度薩旅館裡面。在二十四小時內，我便趕到他臥病的房裡。我見他並沒有太嚴重的病象，方才安心。但是他強壯的體質，已在這次艱苦的探案上磨損不少。他此次足足有兩個月，每天工作時間都在十五個小時以上，他自己說有五天，幾乎都沒有合過眼。他雖然費盡辛苦獲得了成功，卻也把自己累垮了。那時全歐洲都知道他的大名，各處來的賀電，堆著足有好幾呎厚。但是他並沒有特別興奮。他所得的成績，是捕獲那讓三國警吏失敗——全歐洲最厲害的盜賊。只是這種成功，卻仍不足以使他從虛弱的狀態中振奮起來。

三天以後，我們回到了貝克街。我覺得我的朋友最好要在清幽的環境裡休養一陣子，我也想趁這明媚的春光享受一下鄉間的景色。我有一位舊時的朋友海特上校，從前在阿富汗軍中，我曾幫他醫治過病，所以認識。他現在住在蘇萊南邊的賴格特村上，常常請我去玩幾天。最近一回，他說如果我的朋友可以同去，更是歡迎。福爾摩斯最怕同人交際，因為常要許多繁文縟禮，但他一聽那主人是單身，一切可以極端自由，便也很高興的與我到那邊去住幾天。在里昂回來一星期之後，我倆便住到了上校家裡。海特是一位豪爽的老軍人，見多識廣，我們剛到，我便覺得我所預料的不錯，他和福爾摩斯非常投緣。

我們到的那天晚上，吃過晚飯之後，便在上校的槍室裡閒坐。福爾摩斯橫在沙發上，我和上校看著那些軍裝和兵器。

他忽然說道：「我現在要拿一把手槍到樓上去，以免有意外。」我道：「有意外？」「是的，此地最近發生一件盜案。老紳士愛克登家中在上禮拜一被盜一次。雖然沒有偷去什麼，只是賊正多著，不可不防。」

福爾摩斯望著上校，問道：「沒有線索嗎？」「一點也沒有。但這是小事，我們這樣小鄉村裡的小案件在你福爾摩斯先生辦過種種重大的國際巨案之中，當然是不值一問的。」

福爾摩斯搖手，止住他的謏辭，但他的臉上微笑著，表示聽了很高興的樣子。他問道：「可有些有趣的跡象嗎？」

「我認爲是一點也沒有。那個賊闖入書房，卻沒有偷走什麼。把東西弄得亂七八糟，抽屜都拉了開來，書籍也翻得很亂。結果只有一册舊本帕泊氏的《詠鴿詩草》、兩個鍍金燭臺、一方象牙鎭紙、一個橡木製的晴雨表和一團線等不見了。」

我喊道：「怎麼挑選得如此奇怪！」「啊，這賊是隨手撈到什麼拿什麼的。」

福爾摩斯在沙發上咕噥著道：「那鄉下的警察應當要研究這件事的。爲什麼呢，因爲這明明是……」

我立即止住他道：「老友，你是到此地來休養的。你的神經還是很衰弱，千萬不要再注意什麼新的問題了。」

我的朋友聳了聳肩膀，用一種滑稽的態度對上校看著一笑。於是我們的談話，便岔開到無關緊要的話題上去。

但是凡事都是注定的，我職務上的防範都是白廢的。第二天早上，這問題又忽然闖入。我們實在不能預料，到鄉間來休養，忽然有了變動，使我們不能置之不顧。當我們吃早餐時，那上校的飯廳侍役很震顫的捧著食具跑進去，神色倉皇地說道：「主人，你聽見這消息嗎？是在克銀漢的家裡！主人知道嗎？」

上校正捧著杯咖啡要喝，便問道：「盜劫嗎？」「殺了人哩！」上校驚叫道：「天啊！那麼，殺誰呢？這位老推事嗎？還是他兒子呢？」「主人，都不是。死的是馬車夫威廉。一彈打破胸前，他再也說不出話來了。」「那麼，誰把他打死的呢？」「主人，是那個強盜。他事後便像子彈一樣快地跑走哩。大概那強盜進到廚房的窗前，遇到了威廉，他奮勇保護主人的財物，就送了命了！」「什麼時候的事？」「主人，就在昨天夜裡，將近十二點鐘左右。」

「唉，現在且不要管它。」上校說著，很淡漠地吃他的早餐。等那侍者走了出去，他才接著說道：「這是一件很不幸的事情。老克銀漢是此地的領袖紳士，爲人端正。他一定很傷心哩。因爲那僕人伺候他已經好久了，並且是個很好很忠誠的人。這賊人一定就是先前闖到愛克登家裡的人。」

福爾摩斯沈思著問道：「就是偷那些零碎東西的嗎？」「不錯。」

「哦！這或許是很簡單的一件事情，但是起先總覺得有些奇異之點，對嗎？大凡盜賊在一個地方，總要變更他們的作案地點，並且決不會在幾天之內在同一地方做兩件盜案。當你昨天說要戒備，我那時就有一種想法，認爲此地是英國最小的教區，盜賊未必會保持謹愼。所以我覺得此事，很有研索的可能。」

上校道：「我認爲是本地的小賊罷了。愛克登和克銀漢兩家，既然是此地最大的人家，他們自然要先光顧這兩家。」「他們最富有嗎？」「當然如此，但是因爲有一件訴訟案拖延了好幾年，已吸去兩家不少血汗。老愛克登曾要求分得克銀漢財產的一半，那些律師們，卻在兩邊撥弄，從中獲利。」

「那賊如果是本地的惡棍，要捉到他，沒有什麼困難的。」福爾摩斯說著，打了個呵欠，又道：「華生，好啦，我不想管這些閒事哩。」

那時侍者推開了門，稟道：「主人，福萊司特警官要見您。」

那警官是一個英挺的少年，他走進了這房間，向上校說道：「上校，早安。我本不想冒昧到此，只是聽說貝克街的福爾摩斯先生在此地。」

福萊司特警官

上校便把手揮向我的朋友，警官鞠了一躬，又道：「福爾摩斯先生，我們想你一定可以指導一二的。」

福爾摩斯笑著，向我道：「華生，這是命運注定的，要違背你的意思。」又向那人道：「警官，我們正好談到這件事情。請你先把一切的情形，大概敍述給我聽聽。」那時他斜靠在椅上，像他平素習慣的姿勢。我知道我的想法，又落空了。

「我對於愛克登家裡的案件一點線索都沒有。但是這一件事情，卻有許多可以探索的線索。我覺得兩案是同一人所爲，那是無疑的。並且這賊人，已經被人家瞧見了。」「哦！」

「是的，先生。只是他開槍打死了可憐的威廉·克溫盎之後，逃得像鹿一樣快。克銀漢先生從寢室窗裡望見他，並且愛萊克·克銀漢先生也從後面走廊上看見他。這慘劇是發生在十一點三刻。克銀漢先生剛上床，愛萊克先生在他的更衣室吸一管板煙。他們兩人都聽見馬車夫威廉喊救命的聲音。愛萊克立刻跑下來，看是什麼事情。那時後門正開著，當他跑到樓梯下時，看見兩個人在外面扭打。一個人開了一槍，一個人跌倒在地，那兇手就越過了籬笆，衝出花園。克銀漢先生從寢室的窗裡望下來，看見那兇手跑到大路上，一會兒就不見了。愛萊克先生趕忙想救活這垂死的人，所以被那惡棍逃走。兇手是中等身材，穿著黑呢衣服，我們現在還沒有找到這人。但我們竭力地搜尋，如果發現這一個陌生人，我們可以立刻捉住他的。」

「那時威廉怎樣呢？他斷氣之前，可曾說什麼話？」

「一個字也沒有。他與他的母親住在那邊的小屋裡。他是一個很忠誠的人。我想起來了，那時他正到主人屋子裡去查看門戶，因爲有了愛克登家的事情，大家都提高警覺。那強盜恰好弄開房門——那門鎖已經被弄壞——威廉便碰到他。」

「威廉出去之前，可曾對他母親說過什麼話嗎？」

「她又老又聾，從她那邊我們問不出什麼來。因爲這一個劇變，使她失去了一半知覺。但我知道她平素也少有精明的時候。但是這裡有件很要緊的東西。請看！」

他從懷中記事冊裡，拿出一角撕碎的殘紙。攤開在他的膝蓋上。

「這一角紙是在死者的手裡找到的。看來是從一張較大的紙上撕下的一小部份。請你注意這上面說的時間，正是那可憐的人遭遇不幸的時間。若不是那兇手搶去了其他部份，就是威廉從兇手那裡撕奪到的一小部份。從這上面的文字讀起來，像是與人約會的短柬。」

福爾摩斯拿著這一小片紙，那紙片的樣子如下：

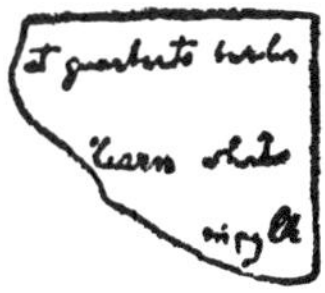

（大意是「差一刻十二點時……可知……或者」）

那警官接著說道：「姑且假定他是一種約會的信。我們假設，威廉・克溫盎雖然素有忠實的名譽，但也有可能是與賊人聯合。或者他在那邊遇到了那賊，一同偷偷進了屋裡，後來卻鬧翻了。」

福爾摩斯已經全神貫注地察看了那張紙，說道：「這一張紙，異常有趣，比我剛才所想到的更深奧哩。」他把頭伏倒在手裡想著。那時警官露出微笑，似想他的這件案情居然可以使這著名的倫敦大偵探家如此思索，覺得非常得意。

福爾摩斯就說道：「你剛才說，那僕人或許和賊人串通，這就是一個人給另一個人的約函，這想法的確智巧，並且不能說是不可能的測度。但是這幾個字，可以想到——」說到此，他又抱頭俯在兩手裡，陷入深思狀態。當他抬起頭來的時候，我覺得很驚異，看見他臉色紅潤，眼睛閃著異光，恰像之前未生病時一樣一躍而起。

他道：「我來告訴你們原因！我想把這裡面的事再推考一下。這裡仍有些地方令我十分迷惑。上校，如果你允許，我想暫時離開你和華生。我要同警官出去，試著考查這事，和我的假設互相印證。大概半小時，就可以回來的。」

隔了一個半鐘頭，那偵查員獨自回來了。說道：「福爾摩斯先生在外面田野裡一個人前後踱著，他想叫我們四人一起到那屋裡去。」

我問道：「到克銀漢家裡去嗎？」「是的，先生。」「去幹什麼呢？」

那警官聳了聳肩膀，答道：「先生，我不大明白，我們私下說。我認為福爾摩斯先生身體尚未痊癒，他的行動非常奇異，並且過分激動了一點。」

我道：「我認為你不必害怕。我常常覺得我的朋友瘋狂的態度正是他的奇策。」

那警官喃喃道：「那麼，人家會說他的奇策，簡直是發狂哩。」他又向上校道：「上校，他急著要動手，如果你沒有事，最好現在就去。」

我們見福爾摩斯在田野上來回踱著，把頭低到胸前，兩手插在褲袋裡。

他道：「這事情很有趣。華生，你發起的鄉下旅行，已經有了很顯著的效果。我今天一早，覺得非常愉快。」

上校道：「我知道你已經到犯案地點去看過一會了。」「是的，我和警官一起去的，大概偵察了一下。」「有些成果嗎？」他道：「有，我們看見了一些很有趣的事情。我們先一邊走，我再把我所做的事情告訴你。第一件事，先去驗看那死屍。他的確是受了槍傷，那報告沒錯。」「那麼，你起先是不是有些疑惑？」他道：「唉，事情畢竟要考察過的好。我們的偵察並非徒勞。我們去見了克銀漢先生和他的兒子，他還確切地指出，那個兇手越過花園籬笆逃走的地點。這點有極大的趣味。」「當然了。」他道：「接著我們又去看那可憐人的母親，但是她老邁虛弱，我們一點兒也問不到什麼。」「那麼，你偵究的結果，是怎樣呢？」「此案非常奇怪。或許我們此行，可使案情明朗些。警官，我的想法和你一致，認定死者手裡的一小角紙上所寫的時間正是死亡的時候，這點是十分重要的。」「福爾摩斯先生，這一點一定可給你一個線索。」「這的確足以給我一個線索。那個寫這短箋的人，也就是教威廉・克溫盎在那時候出來的人。只是這張紙的其餘部份，在那兒呢？」

那偵查員道：「我也想得到這一張紙，所以曾經在地上很仔細的尋過一遍了。」

「其餘的部份必是從死者手裡撕下來的。那個人爲什麼急於得到這東西呢？就因爲這可以證定他的罪名的。他當時又怎樣處置這東西呢？大概他奪到之後，急著把紙塞在衣袋裡去，就沒有注意到這張紙的一角還遺留在死者的手裡。如果我們可以想辦法拿到這張紙，這案件就不難迎刃而解哩。」

「是的，但是我們既找不到兇手，如何可以在兇手衣袋裡找到這張紙呢？」

「好，好，這很值得探討。再有一個顯明的要點——這短箋是給威廉的。論情那寫信的人，決不會自己拿去的，不然，他儘可以親口告訴他。那麼，誰送信去的呢？是否是郵局送來的？」

那警官道：「我已經查問過了。昨天下午，威廉接到一封信。那信封已經被他弄壞。」

福爾摩斯拍拍那警官的背，喊道：「好極了！你已經問過郵局的人。你這事情辦的很好。好了，此時已到那所屋前，上校，你如果願意進去，我把這犯案地點指給你瞧。」

我們經過了死者所住的美麗小屋，走上一條兩旁種著橡樹的大路，一直到一間安妮女王時代的古屋，那建築的年月便鐫在門楣上面。福爾摩斯和警官引導我們環視了一周，末了走到側門邊，門外便是花園，花園的籬笆外面就是大路。有一個警察，站在那廚房門前。

福爾摩斯道：「請你把這門打開。嗯，小克銀漢就站在這樓梯上面，他就在我們站立的地方，看見那兩個人在那邊爭鬥。老克銀漢，在那左邊第二個窗裡望見那賊人從這矮叢的左邊逃去——他的兒子也是這樣說。他們兩人都說是從這簇短樹那邊逃去的。那時小克銀漢跑出去，跪在受傷者旁邊。地上的泥土十分堅硬，所以你們瞧，沒有一點兒痕跡可尋。」

我們正在說話時，有兩個人繞過屋角，到花園的路上來。一個是老者，堅壯的身材，銳利的目光；一個是一位浮率的少年，衣服講究，神氣愉快而活潑，好像不甚在意這一件慘案，他那種態度，恰和我們來探案的心情相反。

他對福爾摩斯道：「還在調查嗎？我想你這位倫敦的名偵探是不會不行的。只是對於此事，也不見得能怎樣神速吧。」

福爾摩斯微笑著答道：「請你寬以時日，容我們慢慢著手。」

愛萊克・克銀漢笑道：「你當然是想要探出此案，但我覺得簡直完全沒有線索，實在無從著手。」

那警官回答道：「不過有一點可以探索。我們想只要可以找到……」他說至此，忽然看看我友，喊道：「啊呀！福爾摩斯先生，你怎麼了？」

我朋友的臉上忽然間出現非常可怕的表情。他的兩眼向上翻，四肢不停地抽搐。口裡發出呻吟的聲音，忽然跌倒在地上。我們被他這種樣子嚇了一跳，急忙把他抬到廚房裡面，睡在一張大椅子上面，看他吃力地呼吸了好久。隔了一會，他才不好意思地向大家道歉，徐徐地站起來。

他解釋他的病狀道：「華生醫生大概已告訴過諸位，我剛生過一場重病，才好沒多久。讓大家嚇了一跳，實在是非常抱歉。」

老克銀漢問道：「可要用我的車子，送你回府？」「謝謝，不必了。我既然到了此地，就必須探索這件案件。我有一些想法，覺得沒有什麼錯誤，應該可以很容易證實的。」「是什麼呢？」「據我看來，大概可憐的威廉到的時候，不是在這強盜入室之前，而在已經進來要出去的時候。你們說門鎖雖然弄壞，賊卻沒有進門，那句話是不對的。」

克銀漢先生很嚴肅地說道：「我認為這是很明顯的。不然，那時我和我兒愛萊克都還沒有睡，如果有人走動，我們一定會聽見聲音的。」他問道：「令郎在什麼地方？」愛萊克道：「我在我更衣室裡吸煙。」「更衣室是那扇窗？」「是左邊的末一扇，就在我父親房間隔壁。」「那時你二位房間裡的電燈都還亮著，是嗎？」「當然如此。」

福爾摩斯笑了一笑，又說道：「那麼，現在有幾個令人費解的問題，且出乎尋常。試想有一個強盜——一個已經有經驗的盜賊看見這屋裡燈還亮著，有兩個人未睡，這時候他怎麼會冒然闖入呢？」

老克銀漢道：「這個人也許是一個鎮靜的老手。」

愛萊克接著道：「如果這案件不是很奇怪的話，我們自然不必來請教你哩。但你說威廉沒有碰到他之前，他已經進屋裡偷過，我以爲眞是笑話。我們並沒有少去任何東西，器物一點也沒有被弄亂。這是什麼道理呢？」

福爾摩斯道：「現在或許還不知道。你們必須注意，與我們敵對的賊人是很特殊的。他的行動眞是匪夷所思。譬如像愛克登家裡被他偷去的東西，是什麼一球線啦，一塊鎭紙啦。我也說不清，反正就是些零零碎碎的東西！那不是很奇怪嗎？」

老克銀漢道：「好啦，福爾摩斯先生，我們既已奉託，一切聽你和警官處置便了。」

福爾摩斯道：「第一件事，請你出懸賞獎金。因爲我們急於進行，如果和官方協議，又要費去許多時間。我已經起了個草底，假使你沒有什麼異議，我想請你出五十鎊。」

那老法官取了那一張紙和福爾摩斯拿給他的一枝筆，說道：「我情願出五百鎊。」他又看了看那底稿，接道：「你所寫的，不很正確吧？」「我是很匆忙時寫的。」「你瞧，你的起頭：『星期二早晨零點三刻發生搶案。』這不對，事實上說起來是星期一夜裡差一刻十二點時。」

我對於這個錯誤，也覺得納悶。我友素來是很謹慎的，不論什麼事情，總是異常審慎，也許是一病之後，大有改變。雖是這一件小事，我也很替他擔憂，恐怕他的身體還沒有完全復原。他那時也覺得有些發窘；那偵查員舉眼瞧了瞧；愛萊克也不禁大笑。那老紳士立即改正了錯誤，把這張紙還給我友。

他道：「趕快拿去印吧，愈快愈好。認爲你的想法是很高明的。」

福爾摩斯很謹慎地把那紙塞在衣袋裡面。

他道：「現在我們最好一起在這屋裡視察一遍。並且可以再一次細細查看，究竟他偷去什麼東西沒有。」

在進去時候，福爾摩斯很留心地察看那弄壞的門。很顯然的，是用一個鑿子或刀子伸進去把鎖簧弄壞的，我們還可以看見那利器插入木頭上損傷的痕跡。

他問道：「你們門上不用門閂嗎？」「我們認爲這並無用處。」「你們用犬守門嗎？」「是的，有的，只是用鏈條鎖在這間屋子的另一邊。」「僕人們什麼時候去睡的？」「大約十點左右。」「我聽說，威廉大概平常也在這時候去睡的。」「是的。」「他昨夜竟然還沒睡，那未免有些奇怪。克銀漢先生，現在我想請你領我們察看一遍你的屋子。」

我們經過了一條石鋪走廊，廚房就在旁邊，走上一道木樓梯，就到第一層樓。走到一個樓梯的轉折處，而這裡正對著一道通往前廳較華麗的樓梯。從這裡過去，便到會客室和幾個臥室，克銀漢父子的房間就在裡面。福爾摩斯慢慢地走著，很留神地看那房屋的構造。我知道他這專注的表情，一定有道理的，只是我猜不出他到底有什麼目的。

克銀漢先生有些不耐煩的樣子，說道：「親愛的先生，這都是毫無關係的。在這樓梯末端，就是我的臥室，我兒子的臥室就在後面那一間。我倒要請你判斷一下，如果那賊進來了，我們竟一點也沒有察覺，那是否可能？」

愛萊克也露出十分不高興的笑容，說道：「我認爲你必須轉換一個方向思考。這樣只是在浪費時間。」

「是，但我仍舊要請你們再領我看些。例如，那臥室的窗邊，我要看從這裡可以望見多遠。」說時，他推開一扇門續道：「我知道這是令郎的房間，並且敢說那是他的更衣室，便是他坐著吸煙時而得到警訊的所在。但那一個是你望出去的窗口呢？」他走過了這臥室，推開門仔細查看一番。

愛克萊非常憤怒地說道：「現在總看得滿意了。」「謝謝，我所要看的都已看過了。」「假使你認爲必要，可以再到我房間裡去。」「如果不麻煩，最好看看。」

那老推事聳了聳肩膀，領頭走到他自己房裡去。房裡陳設平凡而且簡單。當我們走到窗前去的時候，福爾摩斯漸漸落後，只剩他和我在後面。靠近床邊有一個方桌，上面放著一盤橘子，和一個滿盛著水的玻璃瓶。我們兩人走過的時候，福爾摩斯忽然把我推向前，桌子一斜，桌上的東西都翻落在地上。那玻璃瓶摔得粉碎，橘子到處滾散，我驚訝極了。

福爾摩斯卻很冷靜地對我說：「華生醫生，看你弄的。把這地毯都弄髒了。」

我呆了一呆，就把橘子拾起來。我知道我的朋友叫我承擔這項責任是有意義的。其餘的人，也很驚訝，合力把桌子扶正。

警官忽然喊道：「唉呀！他到那兒去了？」那時卻不見福爾摩斯。

愛萊克·克銀漢道：「且在此地等他一下。呀！我看這個人，神經有些錯亂。父親，我們一起去找他。他到底那兒去了？」

他們走出這門，只留上校、警官和我，互相呆看著。

那警官道：「我同意愛萊克先生的看法。他的病或許還沒有痊癒，所以有如此舉動。但是……」

他說到這時，忽然聽見一個慘厲的呼聲，把他的話打斷。「救命呀！救命呀！殺人了！」我一聽便認出這是我朋友的聲音。我瘋狂般地奔出去。那呼聲已經漸漸降低，變成模糊斷續的聲音。那是從剛才進去的房間裡傳出來的，我直衝進去，一進到愛萊克的更衣室裡，見克銀漢父子把福爾摩斯按倒在地上，愛萊克雙手

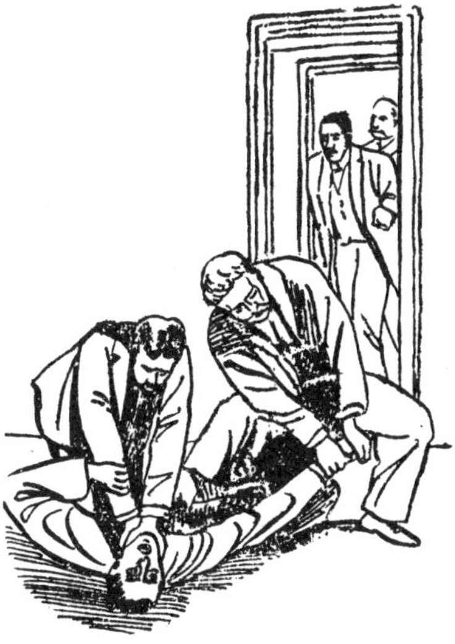

克銀漢父子把福爾摩斯按倒在地上

搗住我朋友的咽喉，那老的則扭住我朋友的手腕，像是要折斷的樣子。不一會，我們三人就把他們拉開來。福爾摩斯便跳起來，臉色異常慘白，急忙大聲喊道：

「警官，請你趕快把這兩人拘捕起來。」

「爲什麼？」「他們就是殺死威廉·克溫盎的兇手啊！」

那警官很迷惑地對我朋友呆看，隔了一會，說道：「福爾摩斯先生，你告訴我，你大概不是要……」

福爾摩斯很急促地喊道：「別吵，你看他們的臉色！」的確不錯，那兩人臉上露出罪狀，我從沒有見過比這更顯明的了。那老的驚惶失色，臉上滿現著悲苦的神色。那兒子卻不然，他已失去原來的活潑態度，獰惡的相貌，兩眼像困獸般地露出灼灼兇光，已沒有絲毫溫雅的神情了。那警官便不再開口，走到門口，吹起警笛，便有兩個警察應聲而至。

他道：「克銀漢，我也沒辦法。我確信這是誤會，不難說清的。但是……」他這句話沒有說完，忽驚呼道：「呀！你想幹什麼？快放下！」說著向愛萊克跳過去，把他掏出的手槍，打落在地板上。

福爾摩斯即忙用腳踏住那手槍，那時他手裡拿著一張皺的紙頭說道：「東西在這兒了，這是審判時最有力的證據，也正是我們所急需要的。」

警官不禁喜呼道：「就是那殘角的餘紙嗎？」「一點也不錯。」「你在那兒找到的？」「我在我斷定的地方找到的。我可以把此案的詳情告訴你們。上校，我想你與華生可以先回去。一小時之後，我再與你們會面。我和警官要在此地審問這兩個犯人。但在吃飯時，我一定可以回來的。」

福爾摩斯說話是不失信的，因爲大約在一小時之後，他便與我們在上校的吸煙室裡會面了。他帶了一位矮小的老紳士來，經他介紹，原來就是這一次遭竊的愛克登先生。

福爾摩斯道：「我要請愛克登先生一起聽我講這案件的詳情。我知道他聽了一定也很高興的。我親愛的上校，我在你這裡打擾你，實在是很抱歉的。」

上校很熱誠地回答道：「不，我認爲你工作時能允許我參與，實在是莫大的榮幸。我敢說此事實在是出我意料之外，我也想不到會是這一種結果。但我還搞不清楚這案件的因由。」

「恐怕我的解釋，還不能教你們清楚哩。但依我平常的習慣——對於老友華生和樂於聽我說話的人——總會把我進行的計劃詳道無隱。可是剛才被他們在更衣室打倒，我的力氣都已用完。我想先向你討一杯白蘭地，鎭一鎭神。」「我想你的神經可以馬上恢復的。」

歇洛克・福爾摩斯喝了酒，笑道：「我們待會兒再談此事。我先說此案的程序，再告訴你們我決定探索此案的線索和步驟。如果有不很清楚的地方，可以隨時問我。最要緊的事情，不論這案件是怎樣的奇幻複雜，先要認清幾個著眼的要點。不然，用盡心機都是徒勞無功。這案件在我眼中唯一的關鍵自然就是死者手中的那一張紙。在進行探索之前，我先注意愛萊克・克銀漢的說法，是否眞確。如果兇手打死威廉之後，急忙逃走，絕沒有工夫再從死者手中撕奪這一張紙。但是如果這不是那逃去的兇手幹的，那一定就是愛萊克自己。因爲當老克銀漢到的時候，已經有幾個下人聽見趕到。這一點是很明顯的。可是那警官深信他們是本地巨紳，所以沒有不疑心他們是攸關這案件的人。我已確定了這一點，認定愛萊克・克銀漢先生是其中的主要角色，便從這方面著手偵察。那時我就把那警官給我的一張紙角，細心考究，我立刻就看出這一張紙是極需注意之點。你們請看，這裡面有什麼特別可異之處？」

上校：「字跡很怪而不整齊。」

福爾摩斯道：「不錯，這毫無疑問的一定是兩個人合作的手筆，所以有不同的字跡。我只要請你注意 at 和 to 字中硬挺的 t 字，和 quarter 和 twelve 兩字中細弱的 t 字比較，就可以知道了。從這四個簡單的 t 字上分析，就可以使你確信那 learn 和 maybe，是筆力硬挺的人寫的，而那 What 是筆力細弱的人寫的。」

上校不禁呼道：「不錯，的確是。不過爲什麼要兩人合作呢？」

「那是很明顯的。因爲這是一種犯罪的行爲，恐怕洩露，爲了互相牽制，大家都留筆跡在上面。現在可以確定那個寫 at 和 to 字的人，是主謀。」

「你怎樣看出的呢？」

「我們也可以從這信中兩人的筆跡上比較出來，並且可以確實證明。你再觀察此紙一下，便可得到結果。那筆力硬挺的，先寫許多字，留著空白，再叫另一個人去塡。但空白的位置常常不夠。你看第二人寫那 quarter 一字，在 at 和 to 的中間，非常之擠。可見這兩個字，是先前已寫好的。先寫這兩個字的人也就是計畫這案件的人。」愛克登先生也呼道：「妙極了！」

福爾摩斯道：「這都是淺而易知的。現在

要推究很重要的一點。一般說來，推測人的年齡，只要看他字跡的強弱。不過這不一定靠得住的，但在正常的情況下是可判斷的。因爲衰弱與不健康者多是老年人，但是也有年輕人因身弱患病，字跡也有軟弱之象，但對於年長的人，身體既已衰弱，字跡上便一定有老年衰弱的神氣。據這一個情形，你瞧這一手字都硬勁有力；而另外的字卻很細弱，那t字上面的一畫，雖軟弱無力，卻還看得清楚。因此，我們可以說這硬勁的是少年，那細弱的是一個還不十分衰頹的老者。」愛克登又呼道：「好！」

「有一點更爲重要而有趣——這兩手字有相仿的地方。這絕對是有血緣關係的人。你們只在i字上，就可以看出，我卻還可看到許多地方。我確定只有同一個家庭裡的人會有這種相同之跡，這就是從此紙考察所得的結果。此外更有二十三個要點，都足以使專家們有所心得，不過不能使你們瞭解罷了。這些都明示著寫此信的就是克銀漢父子。我從紙上既得如此結論。第二步就是去實地考察，希望有所證實。我同偵查員先去詳細查看一遍，我看了那死者的傷痕，判定這是從四碼以外的遠處開槍打死的。死者的衣服上已經沒有火藥焦痕。因此可以證明愛萊克所說兇手在爭鬥時開槍，是完全不正確的。再看他們倆一致指出兇手逃向大路的地方。但是那邊是佈滿污泥的一條闊溝，我察看那溝裡卻沒有任何腳印，我便又確定克銀漢父子也是瞎說，在這一幕慘劇之中，決沒有外面的人參與。再來就是要推究這罪案的起因，我便聯想到愛克登先生家中的竊案。上校告訴過我，說愛克登先生和克銀漢在打官司。所以我就想到他們闖到你書房裡去，一定是想偷取關於此案的重要文件。」

愛克登先生點頭道：「一點也沒錯，他們一定有這個意思的。我有很正當的理由可以聲請分取他們的一半財產。如果他們能拿到我的一紙證據，他們就可以勝訴。只是不幸的很，我已經把文件交在律師的保險箱裡了。」

福爾摩斯笑笑，說道：「幸虧如此！這竊賊做了危險而無功的嘗試。我看起來，這事是愛萊克幹的。他找不到什麼，就故意隨手拿了些東西去，教人家懷疑是尋常的竊案。這些都已明白了。但有一點是較難確定的，我急著要弄到的便是那一張不見的短箋。我確定那紙是愛萊克從死者手裡撕下來的，一定就塞在外衣的袋裡。不然，他又會放在什麼地方呢？只是還有一個問題，就是那紙是否還在？若能尋到那一張紙，是很有價值的。所以我約了大家一起再到他們家裡去。你們應該還記得，克銀漢父子看見我們的時候恰在廚房門口。最重要的事情，就是不能讓他們想到去提防到這一張紙。不然，他們就會急著去毀滅它。當時偵查員幾乎要告訴他們我們到那裡去的用意，我急得沒有法子，就急忙假裝暈厥，因這一番驚擾，才把他的話打斷。」

上校笑道：「好呀！當時我們那麼著急，卻上了你的大當！」

我道：「你這機智，眞是出人意外。」我說時不禁對他佩服。他那種把戲時常把我弄得莫名其妙。

他道：「這些都是有用的機巧。我恢復之後，又設了一計，或許這也可以說是有效的巧智——我叫老克銀漢寫 twelve 這一個字，這樣就可以把他的字和這殘角上的 twelve 比較。」我聽了大聲高呼道：「呀！我簡直是一個笨蛋哩！」

福爾摩斯笑道：「當時你見我犯錯，我知道你很擔心我的身體。我心中亦很抱歉。我們走到樓上，進了他的衣室裡，我見一件外衣掛在門後。我又設計推翻一張桌子，擾亂大衆的目光，我便趁機溜到那房間裡檢查衣袋。只是當我剛拿到那張紙時，他們進來，打倒了我，如果你們沒有及時來幫助我，我簡直要給他們打死。那時那少年的手捂住我的咽喉，他的父親用力拗我的手腕，想從我手掌內奪回我在衣袋裡尋到的那一張紙。他們知道我已完全知道他們的罪狀，所以要致我於死。幸而你們來幫我，使他們完全絕望。後來我向老克銀漢詢問他這罪案的起因。他非常後悔；他兒子卻十分兇悍。如果給他拿到什麼手槍，說不定會把大家和自己先後打死。當老克銀漢看見事情完全失敗異常淒愴，把事情都揭露出來。當他們那夜到愛克登先生家裡去偷東西的時候，被威廉暗暗地跟著。威廉就要挾他的主人，要是有不依他的地方，他就要宣布出來，教他們父子不能做人。愛萊克是個富於陰謀兇念的人，這種事情本是拿手好戲，便設計要除去那可怕的僕人。威廉在那晚被他們引誘出去，他們便用手槍將他打死。但如果他們把這短信完全拿去，不留一角在死者手裡，致使這案毫無留下一些痕跡，那我也無從思索了。」

我便問道：「這一張短箋呢？」歇洛克．福爾摩斯便拿出一張已接黏好的紙頭給我們看：（見下頁）

（如果你能在十一點三刻到東門邊，你可以知道一件出乎意料的事情，並且對你和安妮・馬利生都有很大的好處，不過不要對任何人提及一個字。）

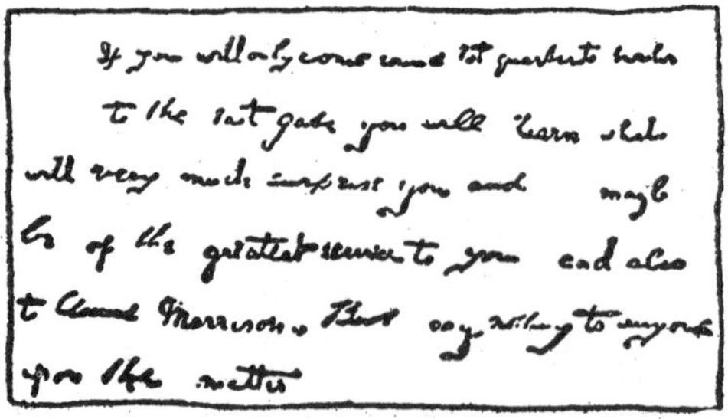
If you will only come round at quarter to twelve to the east gate you will learn what will very much surprise you and maybe be of the greatest service to you and also to Annie Morrison. But say nothing to anyone upon the matter

他道：「這就是我所希望得到的東西，但我們不知道愛萊克、威廉和安妮・馬利生三個人中，究竟有什麼關係。這個惡計確是安排得很巧妙。你們大概也注意到那信裡的p字，和g字末端。還有那i缺去頭上一點，也是那老人的特別習慣。華生，我想我們在鄉下的休養已獲成效。我的身體現在非常舒適，神清氣爽，明天早上，可以回到貝克街去哩。」

故家的禮典（原名 The Musgrave Ritual）

我常覺得我的朋友歇洛克・福爾摩斯的思想和言行很精確而有條理，他身上的服裝也都整齊潔淨。但他的日常生活卻很散漫，和他同住的人實在很痛苦。我在這點上和他不同。我以前曾從軍到阿富汗，染上那邊土人不羈習氣，個性變得馬虎而不拘謹，反而不像個醫生的態度。但像他把雪茄放在煙斗裡，煙斗放在波斯拖鞋裡，把他朋友寄來而沒有回覆的信以刀貫穿揷在壁爐的簷上等種種散漫的事相比，我自覺好得多哩。此外我每練習手槍，必會在屋外的空地上，但福爾摩斯在興起的時候，就坐在他的扶手椅中，朝著牆壁四射，一試他的槍法。因此那牆上的彈孔像繁星一般滿布，他瞧著自以爲很有趣。

我們的室中也滿積著化學物質，像牛乳杯中往往注滿著他的化學藥液。此外几案和屋角間都堆滿了他舊時的信札，和他探案時所得的證物。這些東西對他都很珍貴，卻毫無歸檔分放。他在一年中，只有一二次去批閱整理，因爲每當他探案之後，總已勞碌過度，必須休息。而他常用他所喜歡的音樂和書籍慰藉他的疲勞。那時他會成日蜷伏在桌子面前的沙發椅中，懶得幾乎不願行動。因此那些文件，就一月月地屯積起來，高堆在我們的屋角裡，幾乎要齊人眉頭，他不肯燒毀也不准別人移動。

有一個冬季的晚上，我們圍坐在壁爐前面，互相閒談，很是快樂。我就趁這時候，請他把那堆積在室中的函件和書籍整理一下，好使我們室內稍稍寬暢一些。他聽了我的話，覺得很對，一時無言回絕，就微慍著臉龐，起身走進他的寢室裡去。他拿出一個錫製的大箱子，把那錫箱放在地板中央，就蹲下去揭開那個箱蓋。我見箱中滿裝文件，在每卷文件上，都綁著一條紅色的毛線帶。

他用失意的雙眼向我瞧著，說道：「華生，這箱裡堆積的案件很多。我想你假使知道這裡面的案件，你必定會請我把這些文卷全部取出來呢。」

我問道：「那麼，這許多文卷，都是你以前探案的成績嗎？我早想請你把你以前的探索載入我的紀錄中呢。」

「是的，我的朋友，這些案件都是我沒有成名以前探的案。」他說著，就很鄭重地把各種文卷取出。接著他又說道：「華生，這許多案件，因我那時閱歷較淺，不能每案都完全成功。但這裡面詭異曲折引人興趣的案件也很多，像托爾登的兇案、范貝里的酒商案，和俄羅斯老婦人的冒險案，還有鋁製手杖的事件，以及紀載著跛腳列可蘭丹和他醜惡妻子的案件，還有這裡——啊！這是一件非常奇怪的案件了。」

他說時早伸出他的手臂，從箱底取出一個小木匣來。那匣上裝著可以移動的箱蓋，很像是兒童遊戲的玩具箱。箱中藏著一束摺縐的舊紙、一個舊式的銅鑰和一個纏著線球的木釘，此外還有三個生鏽、圓形的舊式金幣。

福爾摩斯向我笑道：「朋友，你看這些東西可有什麼感想呢？」「這許多奇奇怪怪的東西聚在一起，想必是一件奇怪的事情。」「不錯，假使你知道了這件事情的眞相，必定要驚爲奇事哩。」「那麼，這裡還隱藏著一段歷史嗎？」

「確實隱藏著一段歷史，並且原因還很複雜。」

「那究竟是什麼案件呢？」

福爾摩斯不答，只把盒中各物一件件取出，放在桌上。他又轉身坐到椅中，看著這許多物件，似很得意。

一會兒，他才說道：「我瞧著這些物件，又回想起默斯格瑞甫儀式中的怪事了。」

我聽過這奇怪的案子的名字，已不止一次了。但他說得不很詳細，因此我還不知道這案的眞相。

我道：「假使你願意把這奇案告訴我，我很樂意靜聽。」

福爾摩斯歡呼說道：「華生，我很願意把這案件的案情告訴你。但我既要講述這案，就沒有工夫整理文件了。你不是嫌室中凌亂無序嗎？這案的情節，和普通的案件完全不同，因此我自信在全國或他國的任何罪案，都沒有比這案子更怪異的。假使彙集我的各種案件，卻遺漏了這一案不載，那記載便不能算完全了。

你當記得『囚舟案』的事情，我和那不幸的人談話後，才決定以偵探做我終身的職業。你看我現在的名聲廣布，警界和公衆人物幾乎都承認我是解決疑案的最後法庭。當你和我初次相見，我們一起偵探『血字的研究』時，我已在社會上薄有虛名了。我的工作開始的時候也經過許多困難，飽嘗了辛苦，後來才在偵探界裡獨樹一幟。

那時我初到倫敦，居住在大英博物館附近的蒙塔哥街。我閒居無事，只專心學習各種科學，增長自己的智識，做日後立足的基礎。但那時已常有人委託我偵查疑難的案件，他們的介紹人大都是我舊時的老同學。因我在大學畢業的時候，思想的緻密和手段的敏捷在同學中已很有名了。這默斯格瑞甫的奇案是我做偵探後的第三案。我因破獲了這案，使我興致昂然，而這案的結果更是事關重大。之後我就竭力在偵探學上孜孜研究，直達我現在的地位。

雷琴納爾．默斯格瑞甫是我大學時的同學。我和他平日也時常往來，他的態度很高傲，儼然是一個貴族子弟。因此他和同學們都落落難合。他的身體非常瘦弱，鼻子很高，眼睛很大，但他的舉止卻很溫文儒雅，不失是一個貴族人物。默斯格瑞甫家族本是英國北方的貴族，其家族聞名全國，在十六世紀時，他們族中的子孫，有遷移到西蘇薩克斯的，雷琴納爾的祖先，就在這時移到他現在所居的賀爾司頓莊園裡去。因此現在他家的田舍房屋都是祖上的遺產。他是一個貴族，雖然目前家道中落，但他養尊處優的狀態還常常流露在他的談話和外表上。我每和他閒談的時候，他常說很仰慕我的思想和才能。

自從畢業之後，我有四年沒見過他。但一天的早上，他忽然到我蒙塔哥街的寓裡。這時他的態度仍沒有什麼改變，但他的衣飾十分華麗，已是一個時髦的紳士了。

我們互相握手之後，我就問他道：『默斯格瑞甫，你一直很好嗎？』

他道：『我已變成孤獨的人了。我的父親死了兩年，因此賀爾司頓家中的各種事務都是我繼承管理。我的生活很煩勞。福爾摩斯，我素知你有特殊的本領。現在聽說你把你的才能，施展到實際的事務上來了。』

我道：『見笑得很，我不過靠著一些機巧

當職業罷了。』

『你幹偵探這職務，自然可以發揮你的才能了，我眞替你快樂。我現在到這裡來，就是要請求你的幫助，因爲我們賀爾司頓莊園裡出了不少詫異的奇事。那些警察已無能爲力，因此不得不請你前往偵探，希望能探明那怪事的眞相。』

華生，你想我那時聽了他的話，心中自然躍躍欲試了。因我在那幾個月中已略露偵探的技巧，沒有遭過失敗。因此我自信能把他人束手無策的案件，出奇制勝，獨自完成。

我就向他道：『請你把案中的詳情告訴我，好讓我把這事細加推測。』

雷琴納爾·默斯格瑞甫和我相對坐下，他先把我給他的雪茄燃著了慢慢地吸。

他道：『你現在必須先知道我現在的處境，才能明瞭那種種的怪事。我雖是個未婚的人，但賀爾司頓莊園裡聽我指揮的奴僕人數卻不少。因爲莊園地處幽僻，人多才能獨立守護。並且我每個月，還會時常出外打獵，也必帶著僕人同去，因此我家僕人的人數就不能減少了。我家裡共有八個女僕，一個廚子，一個管家，兩個奔走的僕役，和一個管膳具的僕人。此外園裡和馬廐裡也都有專任的僕役，人數還不在其內。

在這許多僕人中，管家的名字叫布倫敦。他是我父親時的僕役，已在我家中服役很久。他沒有來我家之前，曾做過小學校的教師，只因後來飄泊無依，才降格做這僕役的職務。他是一個眉清目秀、辦事精敏的人，所以我家中的人都和他成爲莫逆之交。他在我家已服役了二十年，但他現在的年齡似乎還不到四十。他精於音樂，對於各種樂器都能彈奏，並且還能說幾國的語言。他有了這般的才能，卻自願幹這奴僕的職務，大概是因我們待他情重，所以才不願他去。他在我們賀爾司頓莊園的僕役中是個出類拔萃的人物。

但他有一個缺點。他生性喜游蕩，是村中的薄倖少年。他以前結過婚，舉止也很謹愼。後來因他的妻子死了，才變了樣，習於游蕩了。但在幾個月前，他和我家女僕瑞契爾·霍惠絲訂了婚。不過他不久又和守獵場的女兒珍娜特·雀格麗絲發生了戀情。瑞契爾本是一個很好的女子，但是有著威爾斯人躁急善怒的天性。因他未婚夫拋棄了她，讓她抑鬱成了嚴重的腦膜炎。這幾天來，她很煩擾不寧。這就是我們賀爾司頓莊園裡的第一幕悲劇。後來布倫敦愈來愈奇怪，第二幕的怪事就又跟著發生。

事情的開始是這樣的：我說過布倫敦原是很聰敏的。但越是聰敏，越能幹出犯罪的事來。因爲他自以爲才能出衆，言語舉動就很不安本分。我以前還沒覺察他的奸惡，現在親眼見了的怪狀，方才覺察事態嚴重。

這是我閒居在家的時候發生的。是上星期的一個晚上——我記得大約是星期四的晚上。我因在晚餐之前，喝了杯濃咖啡，使我不能入眠，直到凌晨二點鐘，還睡不著。所以我就起來，點亮了檯上的蠟燭，想取本小說讀讀。我白天所讀的書籍，都放在彈子房裡。因此我就披上了我的外套，拿了蠟燭，出室取書。

我從臥室到彈子房，必定要下扶梯，經過一條走廊。那條走廊的盡頭直通到藏書室和貯槍室，那時我忽見一道閃爍的燈光從藏書室開著的門內射出。我見了不覺大奇，因爲我在睡覺之前，從藏書室出來，本已熄燈並將室門鎖上。現在見了這狀況，想必有人進去躲在裡邊了。我們賀爾司頓莊園的長廊，牆壁上滿掛著許多古時的兵器。當時我就拿了一柄戰斧，緊握在手中，又把手中的燈吹熄了，放在地上，然後躡著腳，潛行到那開著的室門那裡，向內窺探。

我見那躲在藏書室裡的人就是管家布倫敦。那時他身上的衣服很整齊，正獨坐在安樂椅裡。他膝上攤著一張紙，看去似乎是張地圖。他前面的檯上放著一盞小燈，從那黯淡的燈光中，見他兩手捧著頭，似乎正在苦思。我見了這狀，不覺大奇。就躲在暗中一看究竟。隔了一會，我忽見他從安樂椅裡站起身來，走到一具書櫥旁邊。他取出一個鑰匙，打開櫥門，從書櫥裡取出一張紙，就又回到椅中坐下。他把那張紙攤在檯上，在燈下凝神細瞧。那時我見他半夜私入我的書室，又敢偷竊我櫥中所藏的書籍，這種行爲不覺使我大怒，就要前去斥責他。布倫敦聽見我的腳步聲，回頭瞧見我拿著戰斧站在門口，急忙跳起身來。他的臉上，頓時也露出恐懼，慌忙把他方才細瞧的那張地圖似的紙匆匆藏入袋裡。

我厲聲問他道：「你竟幹這勾當！我們平

他急忙跳起身來

日那般待你，現在你卻這樣報答我們！你明天走吧，我不能再雇用你了。」

他聽了我的斥責，就低垂著頭，急忙逃去。那時檯上的小燈，兀自亮著，我從那燈光中，瞧見布倫敦從橱裡偷出的那張紙，仍留在檯上。我拿起一看，不覺又很驚奇。原來那張紙上寫的不過是我默斯格瑞甫家禮典中無關緊要的問答語句。默斯格瑞甫的禮典，是我家歷代祖宗相傳的抄件，其中所記載的大半是不能考證的古代禮制，而那問答的語句更加難以索解。這種舊抄件，或可供給少考古學者研究，眞不知他爲什麼竟注意到這毫無用處的文件。』

我那時說道：『你且不要滔滔論這儀式，繼續講下去。』

默斯格瑞甫躊躇著答道：『假使你不願聽這儀式的事，我就繼續下去好了。那時我就把布倫敦所偷的紙仍藏在橱中。又在四周看了一下，正想出去。此時布倫敦忽又急忙奔來。站在面前，阻住了我的去路。

他神情急迫，粗聲向我叫道：「默斯格瑞甫先生，我不能接受你這般的侮辱。我平日自視甚高，不想因這一次的失策，就喪失我終身的名譽。先生，你假使這次不能寬赦我，我會自殺，且把血濺在你的身上。假如你看在上帝的分上，寬赦了我，我在一個月之內，自己必定會辭職的。默斯格瑞甫先生，請你千萬不要在大庭廣衆中，當著衆人面前把我驅逐，使我終身蒙受羞辱啊。」

我道：「布倫敦，你自己幹了這種壞事，還有什麼話講呢？但我念你在這裡做事很久，就不把你的行爲向大衆宣布。現在且再給你一星期的期限，你可自己辭職離開。一個月的請求太長了，我不能答應你的。」

他悲聲向我哀求道：「先生，你只給我一星期的期限嗎？這期限太短——這期限眞是太短了。」

我怒斥道：「我給你一星期的限期，也已仁至義盡了。一星期後，你一定得離開，不必再講什麼話了。」

他聽了我的話。垂頭喪氣地走開，他的臉色灰白，似乎萬分憂悶。我那時也就吹熄了燈，回到我的寢室裡去。

以後的兩天，布倫敦仍舊照常做他的工作，我們也都相安無事。不過我想他離開的時候，不知會用什麼託詞，自遮他的醜處。但在第三天的早上，他忽然不見。直到我早餐之後，也不見他到我面前來服務。早餐後我從餐室出來，忽遇著那個女僕瑞契爾·霍惠絲。我方才已告訴你，她已患病很久，這時才再開始服務。但我瞧見她面容灰白，似乎仍沒有復原。

我就向她說道：「你快回寢室去休息，這裡的事務，等你身體好了，再來做。」

她聽了我這話，睜著奇怪的雙眸，向我注視了好久。

她道：「默斯格瑞甫先生，謝謝你，我已很健康了。」

我道：「我們得先聽聽醫生怎麼說。現在你且停止工作，回房休息，你下樓的時候，替我把布倫敦喚來。」她道：「他已經走了。」「走了！他到那裡去了呢？」「他的確走了。沒有一個人知道他的去向。他已不在他的房內。唉！他的確走了——他眞走了！」她說時忽倒在牆邊，好似發了瘋般地縱聲獰笑。我見狀不覺大驚，慌忙按鈴喚了僕人，扶她回房去。她回到了她的臥室，仍舊號叫不停。我忙到布倫敦臥室裡去察看，果然不見人影。他的床很整齊，似乎前夜沒有睡過。但沒有人見他外出，眞不知他怎樣走出屋去的，就連他室內的兩扇門窗，早上也都關著。而他的衣服、手錶和他的銀錢等等也都還在室內，不過他常穿的一件黑衣服和一雙拖鞋卻同時不見了。我想，布倫敦究竟到什麼地方去了呢？

我們想他或許躲在宅裡，所以就在屋中大加搜索，但卻始終沒有搜到他的一點蹤跡。並且前夜又下過大雨，我們莊園屋外的泥濘滿途，於是我們就到室外去細瞧，卻也一樣不見任何腳印。我見他拋棄了一切所有，突然逃遁，卻又不知他究竟從什麼地方出去。我因此種種，很覺怪異，就去報警。警員到我家裡來勘查了一番，卻絲毫沒有什麼成績，但奇怪的變端卻仍然連接著發生。

瑞契爾·霍惠絲在此後的兩天，病勢很重，有時神經錯亂，有時放聲號哭，我就請了一個看護每夜守護她。在布倫敦離開後的第三天晚上，她的病情似乎好了些，睡得很甜。看護見狀，心中一寬，且又因勞頓過甚，就在扶手椅中睡著了。等到她早上醒來時，卻見臥床已空，窗也敞開，病人已不見了。我聽見這個消息，很忙領著兩個僕人四處尋找。但見她的足印，很明顯的印在窗下。我們就循著她的足印，出了屋子，經過草地，從一條小徑上，直到一個八呎深的小湖那裡，但是腳印卻忽然不見了，我們見了這狀，認爲這可憐的婦人，或許因悲憤過度，跳湖自殺了。

我因著這個緣故，就差人到湖中打撈。但始終沒有撈到她的屍體。不過在湖裡撈到了一個布袋。袋裡藏著一塊古舊的金屬物件，顏色黯淡且已鏽蝕，已辨不出是什麼東西了。此外袋中還有幾塊有顏色的寶石，也都黯淡無光。我們見了這些東西,更加覺得茫然,直到昨天，我們還四處探聽，但仍沒有得到一些關於瑞契爾或布倫敦的消息。村中的警察，早已智窮力盡。故而我特地到這裡來，委託你偵探這件案情。請你盡你的能力，幫我解決這案，做我們最後的希望。』」

福爾摩斯說到這裡，就向我道：「華生，我那時聽了他的話，忍不住躍躍欲試，探明這案的眞相。但這案的情節怪異,原因也很複雜，我一定須先理出一些頭緒，才能著手從事。

我就把管家和女僕的突然失蹤、女僕和管家的相愛、她失戀後的怨恨，以及她的發瘋，和她以後的突然不見，以至她把那個藏著金屬物件的布袋拋在湖中等種種的疑點一一細加推演，一時卻尋不到一個頭緒。我推想了很久，眞不知其中究竟含著什麼神祕的事。最後我才忽有所悟，尋出了一條線索。

我就向他說道：『默斯格瑞甫，我必須先看看那張禮典中的紙才能著手。我想你們那個管家寧可蒙上盜賊的嫌疑和失掉他的職位去研究這紙，想必其中一定含有什麼祕密。』

他道：『我們儀式中的文字，都很荒唐無稽，只因我們歷代相傳，才把它保存罷了。假使你現在要看那紙，我這裡有那問答語句的抄本。你拿去看好了。』

他說著,就把一張紙遞給了我。說道：「華生，這盒中藏著的那張舊紙，就是那時他遞給我的。我現在且把紙上的問答語句讀給你聽。那詞道：

『這是誰的東西？』『是那個走了的人的。』『誰應得到這種東西？』『那即將來到的人應當接受的。』『在那個月裡？』『從一月到六月。』『在那裡？』『在橡樹上面。』『影子在那裡？』『在榆樹下面。』『從那裡走去？』『往北十步又十步，往東五步又五步，往南二步又二步，往西一步又一步，就在這個下面。』『我們以什麼東西做贈品呢？』『把我們一切的東西，完全贈送給他。』『爲什麼要贈給他呢？』『因爲信託。』

默斯格瑞甫見我研究這紙，似很不以爲然。他向我說道：『這原文並沒有記載年代，但假使從那拼法上看來，無疑定是十七世紀中葉的遺物。不過我以爲你研究這怪異的紙，只會耗去你的精力，對你沒有什麼益處的。』

我道：『我以爲不然，我以爲這確是一樁奇聞。它的怪異或許比你方才告訴我的奇事更甚，並且各種奇案的情節都是彼此互相關連的。默斯格瑞甫，請你原諒我，我想你們的管家一定是一個很聰明的人。他能研究這個奇文，足見他的聰明也許高出他主人呢。』

默斯格瑞甫道：『你的意見我不敢贊同。我料這張紙對我毫無用處。』

『但是據我瞧來，這紙的用處很大，我料想布倫敦的想法應也和我一樣的。他開始研究這紙的時日，想必在你瞧見他那夜以前哩。』

『這的確是，因爲他要偷瞧這紙，本是很容易的事。』

『據我的推想，他對於這紙上所紀載的語句，已得到了其中的祕竅。我知道他還有一張和這問答語句互相參考的圖畫。你那天不是曾瞧見他把一張地圖似的紙張藏在袋中嗎？』

『的確是，但他只是我家的一個舊僕。他研究我們的舊抄本，究竟要做些什麼呢？』

我道：『這個問題我現在不能答覆你。讓我們乘第一班火車到蘇薩克斯，到你家去實地考察，才能打破這個疑竇。』

這天下午，我就和他到了賀爾司頓莊園裡。想必你早在圖畫或遊記中看過了這個偉大古堡的建築了。現在我告訴你，那裡的房屋毗連，互相接著，成了一L字形。長的一排房屋，比短的一排房屋來得新。那些舊的房屋門楣很低，上邊石上鐫著一六〇七年的年代。但從這棟樑和柱石上看來，似乎還要古舊些。那屋子的牆壁很厚，窗戶都很低小，因此他們家中的人，在上一世紀，就遷移到新屋裡去，那些舊屋，不過用做儲藏器物的地方。屋子的四周環繞著參差的老樹，離屋約有二百碼遠處還有一個小湖，那就是他撈到那奇怪布袋的地方了。屋子位在水木明瑟之區，風景非常優美。

「華生，我這時已有一些把握，覺得這事並不十分神祕。這案的關鍵就是默斯格瑞甫家禮典中問答的怪語。假使我能明白其中的祕竅，布倫敦和霍惠絲的失蹤，就可完全明白。布倫敦究竟爲了什麼緣故要研究他主人的書籍？試想他竟甘心冒著危險，並拋棄他的一切忽然失蹤，可見一定是因著什麼重大的原因。

我就又把那儀式中的語句反覆讀著。我覺得它的措詞雖然很怪，但卻似乎隱射著某種測量。這雖然是我的假設，但我知那問答語句中清楚指著橡樹和楡樹兩件東西，都一定是測量時所依靠的標準。因爲在那屋外的左手邊種著許多橡樹。我見其中有一棵橡樹高聳入雲，就更相信我的料想離事實不遠了。

我們說時，走過那棵橡樹，我就向他道：『這樹的年代，應該和你們儀式的年代差不多吧？』他答道：『這樹還是諾爾曼時代的戰利品。它的年代，或許比我們的禮典還要來得古些。這樹有三十三呎左右。』『你們另外還有榆樹嗎？』『那也是一棵很古老的樹。但在十年前被雷火燒死，我們早已把他的根部砍去了。』『你還能指出那樹以前的遺址嗎？』『我以前常看見，現在自然還能指出。』『這裡可還有別的榆樹嗎？』『只有這一棵老樹。除此之外，都是一些低矮的小樹了。』『我想先去看看那棵榆樹的遺址。』

我們就坐著雙輪馬車，由他引導著，直走到那屋外的草地上。那裡有一處並沒有草，那就是榆樹的遺址。我見這地方，恰在房屋和橡樹的中間。

我問道：『我想我們不可能知道這榆樹的高度吧？』

『我能夠告訴你的，那樹的高度約共有六十四呎。』

我很驚訝地問道：『你怎能知道得這麼確實呢？』

『我以前跟著我的家庭教師練習三角數學的時候，常常測驗各種物件的高度。因此我對各種樹木和建築，都能測定它的高度，毫無錯誤的。』

我聽了這話，很是喜悅；但我這時忽又得到了一種感想。

我就問他道：『請你告訴我，你們那個管家，可曾問過你關於這樹的問題呢？』

雷琴納爾．默斯格瑞甫很驚奇地瞧著我，略停，他才回答道：『現在我聽了你這話，才使我想起了幾個月前，我和幾個僕役閒談的時候，布倫敦確曾問過我那樹的高度的。』

華生，我這時更證實我假設準確了。我抬頭瞧望日光，日影已漸漸西斜。我料在一小時內，就會移到那棵蒼老的橡樹的枝上，便能和那儀式中的問答語句互相吻合。我因此又悟到關於那榆樹影子的話，料想一定是在日光照臨橡樹上面時，看那榆樹橫斜的影子。諒那樹影的盡處，就是儀式語句中主要的標記了。我只須在那日光直照橡樹的時候，尋到了那榆樹的影子的盡處，就不難探得案中的祕竅了。」

我聽到這裡，不禁打斷他的話道：「福爾摩斯，這確實是案中主要的關鍵。但那榆樹早已砍去，想必已不容易尋它的影子了。」

福爾摩斯道：「不錯，但我想假使布倫敦能夠做到，我也必能辦到的。我想現在既沒有樹身，就和默斯格瑞甫回屋去，我先做了一個木釘，又在上面綁了一條長繩，在繩上每隔一碼，就打一結。此外我又拿了兩根釣竿接在一起，恰好有六呎長。我們就一同出來。那時陽光已照到了橡樹上面，我把釣竿立在那榆樹遺址上。日光照著釣竿的斜影，用繩一量，釣竿影子恰有九呎。

我見了這影子，就能推測榆樹影子的長度了。因爲釣竿高六呎，影子有九呎。那麼，榆樹高六十四呎，以比例加以推算，就可知榆樹影子共長九十六呎了。我因此就用繩子在地上量，那榆樹影子的盡頭已到房屋的牆邊，我用木釘釘在那邊的泥土裡。華生，這時我非常高興，因爲離我植釘的地方，大約二吋遠，也有一個木釘釘過的小洞，還留在地上。我一瞧見這個記號，就知道那是布倫敦留下的標記了。

接著，我從袋裡取出指南針來，定了方向。然後從房屋的牆邊，向北走了二十步，做了一個標記，又向東走了十步，向南走了四步，那時我走到一所舊屋的門前。然後我照了儀式中的話，再向西走上兩步，就走向那門左側的石道上去了。

華生，我在那斜光中，細察那邊的石頭，很是平整。似乎好多年沒有被移動過了。我就用我帶著的手杖敲著那裡的石板，但並沒有一些空洞或奇怪的聲音。我不覺有些喪氣，暗想布倫敦或許沒有做到這般地步。那時默斯格瑞甫跟著我做這番探察，他也知道我的用意。他見了我躊躇的樣子，似有所悟，向我說道：

『你難道忘了儀式中『就在這個下面』那句話了？你對於這一句就在下面的話，爲什麼沒有推究呢？』

我聽了他這話的意思，突然醒悟過來。我叫道：『那麼，這裡難道還有別的地窖嗎？』

他道：『是的，就在這扇門內。那地窖的年代，也和這屋子一樣古老了。』

我們就一同推開了那扇舊門，從石級上進去，裡面非常幽黑。我們燃起一根火柴，把那牆壁上的一盞油燈點亮了，才在這燈光中瞧見那屋內的樣子，似乎已先有人來過。想必是布倫敦了。

那裡堆著的木頭，早已移開成一條狹窄的小路，直達一塊巨大而笨重的石板那邊。那石板的中央，裝著一個已繡的鐵環，上面還綁著一塊長巾。那塊巾的質地很堅密，可以把重物提起。

我的朋友叫道：『天啊！這是布倫敦的東西啊。我常見他帶著這巾的，可以確定就是他的東西。但他爲什麼要在這裡幹這勾當呀？』

我一見這狀，無暇和他答話，忙提著那環上的長巾，用力去揭那石塊。但那石塊太重，我一人的力量拽不動，我就去喚村中的警察前來相助。我們幾個人用足力氣，才把那塊石頭挪在一邊。石塊挪開後就露出一個正方形幽黑的地窖來，默斯格瑞甫拿起燈向下照視。

那地窖很小，大約只有七呎深，四邊都是四呎，裡面似乎是一間小室。在牆邊有一隻木製的箱子，從那燈光中看去，箱蓋卻開著。箱的一旁有一個古舊的銅鑰，突出在鎖孔外面。箱中苔痕斑駁，顯露著慘綠的顏色，早已木朽蟲生，破舊不堪了。我見裡面只有幾個圓形的金屬物件，此外卻空無所有。

我們正在研究這古舊木箱的當兒，我們的眼光忽又看見箱邊有一堆黑黝黝的東西，那是一個身穿黑色衣服的人正跪在地上，他的身體向前俯著，頭部靠在箱子上面，兩臂伸直著垂在兩旁。我們見了，都很驚奇，就一同走下地

一個身穿黑色衣服的人正跪在地上

窖。摸這屍體，早已僵硬，顯見已死了數天了。他的頭部因伏在地上的時間很久，血液凝在臉部，泛成紫色，外觀很怪，已沒有人能辨認出他是誰。但他的鬍鬚、他的衣服和他的頭髮等等，我的朋友早已辨出就是他的管家。但我們察看他身上毫無傷痕，不知他是怎樣致死的。

一會兒，我們就把這個屍首抬出了穴外，但我們對於其中的情況，仍舊模糊，沒有一絲頭緒。

華生，我起初的計畫，以爲依著那禮典中的怪話循序前進，探得了那個祕窟，全案就可完全明白。但這時我雖尋得了布倫敦的屍首，卻仍疑雲滿佈，毫無端倪。我想布倫敦所以致死，和那婦人的突然失蹤，以及那木箱中所藏的物件等這許多的事件，都是很難索解的怪事。我因此坐在那屋角的木桶上，推想這許多疑點，試著探明案情的眞相。

華生，你當知有些案子，憑了我的假設就可解決案中的祕奧。這案也是其中的一件。那時我既知這案中的內情，第一步就憑著布倫敦的行爲，推想他進行的層次：首先他探知了儀式的奧祕，進了這地窖，他的目的，必然要取得這窖中所藏的寶物。但他一個人的力量，是不能移去那窖上所壓的大石。那麼，他第二步該怎麼做呢？諒他必定要別人幫忙了。那時能夠幫他忙的人，一定就是屋中的人。因爲他幹了這偷竊的勾當，勢必要在深夜動手，而那時門戶又緊閉，如果他要求助，勢必非屋中人不可了。但他向什麼人求助呢？在他心中，必以爲最可信託的人只有那個女僕。因爲男子們都不知自己的薄情，又輕視婦女，以爲只須再用一點技巧，必可恢復女人以往對他的感情，甘心被利用。他既存了這想法，就向那女僕百計獻媚，希望恢復以前的情感，並求她幫助他幹這勾當，霍惠絲本是個無主見的女子，就被他所誘惑，應允了他的要求。那夜他們倆就一同到這地窖，合力搬移那塊大石。

但他們只有兩人，其中一個還是婦女，做這搬運石塊的重事，想必不能辦到。因爲我和蘇薩克斯的警察竭盡全力才能把那石塊搬走。那麼，他們對這難題，又怎樣處置呢？想必要藉著別的東西來幫忙了。我想到這裡，就站起身來，細瞧那地上堆疊著的木頭。忽見一根木頭，約有三呎長，一頭有一條裂紋似的深痕，和其他的木頭截然不同。我就知布倫敦所以能夠到那地窖裡去，必定靠著這根木頭。我料到他們必定先拖拉那石上的長巾，使石塊露出了一條隙縫，然後就把那木頭的一頭塞進隙縫，盡力撬動，那塊石板就被木頭漸漸撬開了。直到那塊石板的開口，能容一個人進出，才用那木頭支持住石板，因爲若不這樣，那塊石板又會立刻合上。但因石塊沈重，那木頭著地的一頭，就現出那個裂痕。

接著，我繼續推想布倫敦究竟怎樣死的？我想那洞窖既只容一人出入，那進窖的人，當然一定是布倫敦了。致於那個女僕必定守在窖外等候。布倫敦把箱內的物件拿給了女僕，自己卻仍留在窖裡，冥搜窮索，想滿足他的慾望。但後來又怎麼了，以後又有什麼變端呢？

我以爲當他在窖中窮搜的當兒，那怨毒的火焰，在那威爾斯婦人的胸中忽又燃燒起來。她回想起舊事，怨恨萬分，而此時他的生命，又繫在她的手中，她便想不如殺死了這個薄倖人，出一口怨氣。但她如何下手的呢？或許是她拔去了那根木頭，讓石塊合上，把布倫敦悶死，或許她以爲這是他該有的命運，才這樣做的。但無論如何，布倫敦已活葬在地窖裡。霍惠絲把那石塊合上，就急忙取了從窖中所得的珍寶，飛逃出去。但當她逃上石梯的時候，很清楚地聽見她的戀人在那地窖內用手敲著牆壁。那種求救的聲音一定很清晰地傳進她的耳朵裡。

她本患著腦膜炎的，聽了那種怪聲，驚怖過度，因此在第二天的早上，一陣獰笑之後，舊病復發了。但那箱子中究竟藏的是什麼珍寶呢？她以後又怎麼處置呢？我推想我的朋友從小湖中撈得的布袋，和袋中所藏的古舊金屬品就是。那一定是她在疾病稍愈的當兒，恐怕東窗事發，就把那箱中所得的東西全部拋在湖裡，然後逃避他處，希望免罪。但那些東西卻又被我的朋友撈到了。

我想了二十分鐘，就毫無疑惑地探明了案中的癥結。那時默斯格瑞甫仍蒼白著臉，站著凝想，不久，忽又轉身走進了地窖。

他從木箱中取出了幾個留著的金幣，回來向我說道：『這是英王查爾斯一世時代的遺物。我所說我家的禮典，毫無疑惑，當然也是那時的舊抄本了。』

我聽了這話，就明白了禮典中問答語句的含意。因此說道：『我們必須再尋到些查爾斯一世時代的其他東西。請你且把你撈得的金屬物件給我看，我才能明瞭這案的眞相。』

我們就一同回到他的書室裡。他把撈得的各種東西給我看。我才明白他爲什麼會認爲那些東西毫無價值了，因爲它們都幽暗無光，晶石也蒙著塵垢毫無光彩。我那時取起一顆晶石，在我的衣袖上磨去了塵垢，那粒晶石就寶光閃爍，在我手掌裡好像是一顆明星了。那些金屬的東西因經過長時間的沈埋，已變形彎曲，但式樣卻仍看得出是一種重覆的環形。

我道：『我認爲這些東西一定是英王查爾斯死後，那些王黨中人不敢攜帶逃奔出國的珍寶，因此就把那些珍寶埋在地下。他們默記沈埋的所在，以便在太平回國後能取出，這些東西一定是那時所埋的寶物了。』

我友說道：『或許是。因我的遠祖萊爾夫·默斯格瑞甫本是查爾斯一世時代的保王黨。查爾斯二世出奔在外的時候，就把他當成心腹。』

我答道：『好了，現在我們已得到最後解答了。你雖然飽經奇事，但你先祖所藏的祕寶，已被你尋得，並且還了結了歷史上一件重大的公案。』

他驚奇地問我道：『那麼，這到底是什麼珍寶呢？』『這不是別的東西，就是英國古代的一頂王冠。』『王冠嗎！』『確是。你不記得禮典的問答語句是怎樣說的嗎？那句「這是誰的東西？」「是那個走了的人的。」的話，就是明白指著查爾斯一世的遺物的，那麼，那「誰應得到這種東西？」「那即將到來的人應當接受的。」這一句，細推它的用意，就是指查爾斯二世了。我推想他們做了這種問答的怪語，不過是要給後人按圖索尋，重行尋得這個王冠罷了。』『那麼，怎麼又會到了湖中去呢？』『這個問題，卻不是一時所能答覆的。』說著，我把方才所得到的理解，向他詳細解釋。我的話講完之後，已經皓月當空了。

默斯格瑞甫聽完，把那些東西放入袋中，一面問道：『現在經你解釋，事情已經明朗了。不過查爾斯二世回國之後，怎麼不追問這個王冠呢？』

『其中的祕奧，我也不得而知。或許你們的祖先死在異國。而你們子孫卻又不注意那禮典的用意，直到現代，這些寶物才被發現。』

華生，這就是默斯格瑞甫禮典的故事。那王冠就留在賀爾司頓莊園裡——或許他們須經過法律的手續和金錢才能保留王冠。但你到了那裡，只要報上我的名字，你就能瞧見這個古代的王冠了。不過自此以後，卻沒再見到那女僕的影蹤。或許她已離開英國，逃往海外去了。」

希臘譯員（原名 The Greek Interpreter）

我和歇洛克·福爾摩斯雖是多年好友，但是我始終沒有聽他說起他的家族和親戚的情形。連他自己以前的狀況也絕口不提。像他這樣的緘默冷淡，有點不近人情。我覺得他雖然非常聰明，但常有些怪僻並缺乏同情。他不喜和女人親近，也不願去結交新的朋友，這兩樣都顯出他是個冷酷無情的人。尤其是完全不說起他的家人，因此我以爲他是孤兒，或者沒有什麼家族和親戚了。但是有一天，他忽然講起他的哥哥，那眞是使我意想不到的。

這是在夏天的晚上，我們茶後無事，東說西講地先談起球會的情形，然後再從天文談到遺傳的問題。他的結論是說：「個人的才能，一半根於遺傳，一半來自他早期的訓練。」

我道：「照你的說法，那麼，你有這樣精明強幹的觀察力，和特別的偵探才能，都是從你自己的經驗上得來了。」

「那也未必。我的祖先是普通的鄉紳，沒有什麼特別，不過我的血統從我祖母時有些改變，因爲她是法蘭西美術家萬耐特的胞妹。美術家的血統大概是特別的，所以遺傳到子孫，也和常人不同了。」「你怎麼知道是遺傳的呢？」

「因爲我的哥哥梅格勞甫，比我更含有此種特性。」

這樣的回答，竟使我有些懷疑。假如英國有這樣的人物，他的才能可以勝過歇洛克·福爾摩斯，爲什麼社會上和警署中的人都不知道呢？我以爲那是我朋友的謙詞，故意誇揚他的兄長罷了。但是福爾摩斯卻直朝著我笑。

他道：「我親愛的華生，我不喜歡像別人那樣把謙虛當美德。不論何事，不可失其眞相。對自己估價過低和過分誇大自己一樣，都是有違眞理的，我更是不可能這樣。所以我說梅格勞甫的觀察力遠勝於我，你千萬要相信。」我道：「是你的長兄嗎？」「他長我七歲。」「爲什麼他沒有名呢？」「他在他的朋友中很著名的。」「那麼，他現在在何處呢？」「他在戴奧幾尼斯俱樂部中。」

我沒有聽過戴奧幾尼斯俱樂部，不知到底是怎樣的俱樂部。我正要問他，福爾摩斯早掏出錶來，看了一看。

他道：「戴奧幾尼斯俱樂部可以說在倫敦是一個神祕的會所。而梅格勞甫也是一個神祕的人。他到的時候，都在四點三刻至七點四十分間。現在六點鐘了，若你有興致出去走走，我可以介紹你去。」

五分鐘後，我們已走在街上，向攝政街廣場而去。

我的朋友一路走著，對我說道：「你一定覺得奇怪，爲什麼梅格勞甫有這樣的本事，不去當偵探？因爲他實在不行。」我道：「但我想你說的……」

「我說他的偵察力是高出我之上，假使偵探的事業，自始至終不過坐在椅子上思索，那麼我的長兄當然是舉世無雙的大偵探了。但是他沒有膽量，不肯冒險去證明他自己的假設，反任人家胡亂批評他。這是他生性懦弱的缺點，我常常向他請教疑難的問題，而他也都能做出正確的判斷，可是教他自己去做，他又不得要領了。」

「那麼，偵探事務不是他可以做的職業了。」

「決不是。他一生癖好藝術，精通數學，常在政府機關當會計，佐理文書。他住在包爾美旅館，早出晚歸，一年到頭都如此。別處他也不喜歡去，惟有戴奧幾尼斯俱樂部是他常到的。那地方正對著他的寓所，很近很近。」

「我始終不知道這個俱樂部。」

「這是一個特異的地方，難怪你不會知道。在倫敦有很多人，或是生性羞怯，或是孤高自負，他們都不喜和人交友，人家自然也和他們疏遠。但他們也要出來坐坐，消遣時光，或讀些新出的報紙和週刊、月刊等書，卻苦沒有一個適當的地方，於是這個戴奧幾尼斯俱樂部就應運而生了。城中許多有怪癖的人，都入了此會。會友都不許注意或講論他人的事情。你是你，我是我，各適其樂。又除了在會客室外，會友都不許交談。這是一個很嚴格的會規，若有人違規三次，便不許他做會友。梅格勞甫是創辦人。我覺得這個會很有趣。」

我們談談說說，不覺已到包爾美旅館，從聖雅各街的一頭走去，福爾摩斯在一所巨廈門前停住，這裡離卡爾登戲院很近。他引我走進去時，叮嚀我不要開口。我們走到一間廣室，見許多人正靜坐著看報，各人都坐在僻隅。福爾摩斯同我走到一間小室裡，在室中可以望見包爾美旅社。他叫我稍待片刻，便匆匆走出去。果然不久就與一個人進來，我想這人定是他的兄長了。

梅格勞甫比福爾摩斯的身材高大肥胖，生得方面廣額，流露出很有才智的模樣，和他的兄弟一樣，眸子是藍色，目光炯炯有神，這樣的目光，我在福爾摩斯努力做事時見過。

梅格勞甫•福爾摩斯

他說：「華生醫生，幸會，幸會。」他說的時候，伸出一隻又肥又闊的手，好像海狗的掌，來和我握手。

他又道：「自從你幫我弟弟寫傳記之後，我時常聽見福爾摩斯的名聲，傳佈各處，非常感謝。」他說到這裡，又向我友道：「歇洛克，上星期你偵探的某爵邸案怎樣了？我想你總有些頭緒了。」我友微笑說道：「不，我早已破案了。」他道：「是不是亞當斯幹的？」「正是，除了他還有誰呢？」「我早已料到了。」這時他們兩人在窗前坐下。

梅格勞甫向我友道：「若要觀察他人，這是很好的地方了。你看那裡不是有兩個人走向我們這裡來嗎？不妨先試一試。」我友道：「其中一個不是球會中的那個記分員嗎？」「正是，但是另一個呢？」

這時那兩人已站在窗的對面，我也能看見。一個身穿背心，衣袋上有些鉛粉痕跡的，便是記分員的特徵了。另一個身材瘦小，歪戴著帽子，手中攜著幾個小包裹。福爾摩斯說：「我猜他是一個軍人。」他的長兄道：「而且是最近退伍的。」「我想他是在印度服務的。」梅格勞甫道：「他的官職也不高。」福爾摩斯又說：「我看他是砲兵吧。」「他又是個鰥夫。」福爾摩斯說：「可是有一個孩子。」「何只一個呢！他的孩子絕對不只一個，他有很多的孩子。」

我見他們爭辯，不覺笑道：「你們好像在猜啞謎。」

福爾摩斯說：「那人的膚色黝黑，受過烈日的薰炙，且有赳赳武夫的氣概；可知他是一個行伍中人，且久駐印度。」

梅格勞甫道：「因爲他腳上所穿的皮靴是軍用品，他仍舊還穿著，可知他退伍不久。」

「他的走路姿勢不像個騎兵，但還算是個標準的軍人，並且帽子歪斜一邊，眉旁還有砲火灼傷的疤痕。」

「他那種十分悲傷的樣子，一望可知他必然死了最親愛的人，而他獨自出外到店裡買東西，死的一定是他妻子。他所買的東西有一個波浪鼓，自然是買給最小的孩子玩的；因此猜想他的妻子或許產後身死。還有一本畫册挾在他臂下，這可知道他還有別的年長的小孩了。」

此時我才信福爾摩斯對我說的話，並非誇讚他的長兄了。他對我看了一眼，微微一笑，就拿出一個玳瑁鼻煙壺來，倒些鼻煙聞著，又拿出一塊很大的紅絲巾拂拭他身上的餘煙。

他說道：「歇洛克，我有一件事覺得很難解決，不能勝任，想要請教你。這是一個很奇怪的問題。假使你喜歡聽……」「我親愛的長兄，我十分願意的。」

梅格勞甫就取出袖珍筆記册來，在一頁紙上寫了幾個字，按動電鈴，喊進一個下人，把紙條交給他。

他說：「請米拉斯先生到這裡來。他和我同寓，住在我上一層樓上，我和他有些交情，所以他將這件奇異的事告訴我。他是希臘人，他的職業是通事，常在法院充當翻譯員，或陪著那些從東方來的富商貴人去各處遊歷，靠著這樣度日。至於那件事情，待他自己來再說吧。」

幾分鐘後，我們便看見一個矮而強壯的人走來，面容狹長，頭髮深黑，很容易看得出他是南方人。但他所用的英語，像是一個受過教育的英國人。他和我們握手，甚是誠懇，並且他那種含著喜悅的目光，似乎來自於他知道我們很想聽他的一段奇事。

他帶著悲歎的聲音說道：「我今天所說的事情，恐怕人家不容易相信，以爲世間決無此事。不錯，就是在我未曾經歷以前，也不能相信。不過我的腦海裡時時刻刻好像看見那個滿臉塗藥的可憐人在我的面前。我又不知他以後的結果怎樣，實在令我耿耿於懷啊！」

福爾摩斯說道：「我們洗耳恭聽。」

米拉斯道：「現在是星期三的晚上，這事發生在星期一夜裡，相隔也不過兩天。我是一個翻譯員，想必梅格勞甫先生已告訴你們了。我雖是希臘人，但會說多國語言，所以能夠翻譯。我可以說是我們希臘通事同輩中，在倫敦的佼佼者，因此我的名聲很大，所以我常常被那些旅遊的人請去做嚮導的。若有外國人新到此地，也要來請教我，所以這沒有什麼稀奇的。我記得在星期一的夜裡，有一個華服少年，自稱萊第默先生，到我寓裡來，要我和他一同坐馬車出去，那馬車早已在門外等了。他又告訴我，有一個希臘朋友有事到他家裡去拜訪，但他不會說希臘話，所以希望找一人代他翻譯。他的住宅離凱新登車站不遠，要我馬上跟他去。他的神情很緊張，當時我便跟著他一同走到街上，他一把推我上車，我坐進車中，不覺有些懷疑。因爲那馬車並不是尋常的車子，車廂很寬敞，裝飾也很富麗，是市上難得有的。萊第默和我相對而坐，馬車跑向查靈頓街的支路，走進歇甫伯里路，又轉到牛津大街，我一看這樣的跑法恰巧和到凱新登的路相反。我正想問他，卻見他忽從懷中取出一根棍棒，上面裹著鐵，向上拋擲，一上一下的像在試重量，然後把棒放在身側。仍舊一聲不響。不久又把車座兩邊的窗帷放下，遮沒我的視線。他說：『米拉斯先生，很抱歉，遮蔽了你的視線。我實在不願意讓你知道我們所經過的路程，因爲你若知道了，恐怕對我所做的事會不便的。』

我聽了他的話，不由得心中一震。又看他身高肩闊，是一個孔武有力的少年，即使沒有武器，我也決不是他的對手。我不覺囁嚅著道：『萊第默先生，這是一種越軌的舉動。你可知是違法的？』他道：『那是我的自由。但我先警告你。米拉斯先生，今天你要特別留神，倘若你有什麼驚惶呼救，或反抗我們的舉動，哼！那就對你有大大不利了！我希望你要明白，此時並沒有他人知道你在何處，所以不論在車上，或在屋中，你總是在我掌握之中。』他的話鎮靜而帶有一種嚴峻示威的神氣，我只好默默地坐著，不敢和他違抗。我也自知抵抗也沒用，只好聽天由命了。我們的馬車差不多跑了兩個鐘頭，我一點也不知道走向何處去。有時車廂震動，車輪軋軋地響，便知道走在石子砌的路上；有時則又很平穩，耳邊只聽見輪蹄的聲音，沒有任何憑藉可以讓我猜得出走的方向。車窗又遮得不透亮光，都是藍色的車帷。我暗想我們離開包爾美旅館時，正是七點一刻。現在錶上已八點五十分，走了已約一個半鐘了，究竟到那兒去呢？這時馬車忽然停住，萊第默站起來開了車門，不過在一瞥中，我見車旁有一個拱形的門，上面點著一盞門燈。我剛下車，門已開了，我跟著萊第默走進去。見門內有一片草地，兩旁樹木整齊，也不知道這是私家的草地呢，或是什麼祕密黨人的會所。裡邊有一盞煤氣燈，燈光黯淡，令人看不清楚。但是有一間會客廳，壁上張掛些圖畫。在這昏茫的燈光裡，我看出那個開門的人，是一個矮小形貌猥瑣的中年男子，兩肩很圓，眼前亮光一閃，可知他還戴著眼鏡。他問道：『海洛爾，這是米拉斯先生？』『正是的。』『很好，很好，米拉斯先生請你放心。倘使你能好好幫助我們，我們沒有惡意的。但你若要施展什麼狡獪的手段，那麼，你只好求上帝幫你了。』他說話的時候，雖然帶著笑容，但是笑聲咯咯，令人更覺可怖。我問道：『你們要我做什麼？』『我們只要你代爲翻譯。因爲有一個希臘的紳士來見我們，我們要問他幾個問題，讓我們明白他的答話。但你不能多說或少說一句，必須忠實的翻譯。否則……』這時他又發出咯咯的乾笑，他續道：『你休想保全性命！』他說罷隨即開了一道門，教我走到一間室裡。室中陳設很精緻，但是只有一盞燈，半罩綠紗，燈光不明。那室很寬大，當我走進去時，腳踏在地毯上，我立刻知道這是一個富者之室。又見室間有白石砌成的火爐，爐上掛著日本的甲冑，又有錦絨坐褥的椅子。那人便教我坐在燈旁的一隻椅子裡。萊第默沒有一齊進入，但他忽然從另一扇側門進來，背後領著一人，穿著長大衣，向我們慢慢走來。當那人走近燈光，我可以看得比較清楚些，不覺使我震了一下。因爲那人的臉色灰白，身軀羸弱，目光也很奇怪。最使我

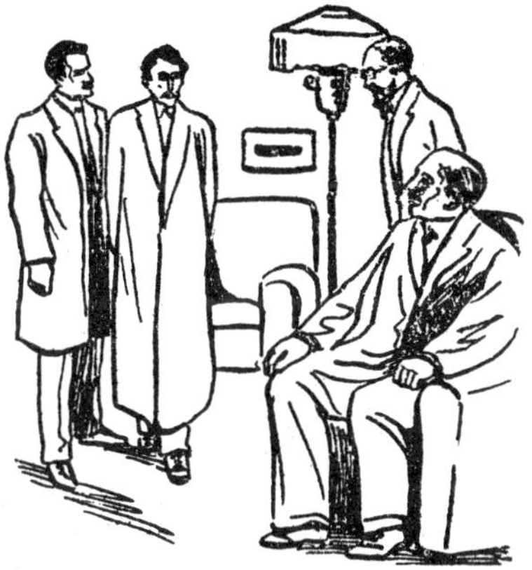
萊第默忽從另一扇側門進來，背後領著一人，向我們走來。

吃驚的便是他臉上滿塗著傷膏藥，分明創痕很多，口角上也黏有一個很大的膏藥，樣子很可憐。當那人頹然倒到椅子裡時，年長的開口問道：『海洛爾，石板準備好了嗎？把他鬆綁了！給他一枝石筆，現在可讓他回答了。米拉斯先生，你要翻譯我們的問題，問他最要緊的一句話——他是否已準備好要簽字了？』那人目光中發出異常憤怒的樣子，好像有火燒著。他在石板上寫一個希臘『不』字。我又奉命問他道：『沒有商量的餘地嗎？』他道：『除非讓我親眼看見她成婚，並且要有我熟識的希臘牧師做證人。』年長的聽了，忽然又獰笑著。『那麼你當知道你將要碰到怎麼樣的命運啊！』『什麼我都不管。』一個寫，一個問，這種很新奇的談判，持續了好久。我再問他到底是不是肯簽字，但他始終拒絕。那時我忽然有一個好奇的想法，便是在我代他們翻譯的問句裡略為加上一二句我自己要問的話。起先只是問幾句無關緊要的話，試試他們兩人是否發覺了我的行為，但他們沒有覺察，我的膽子便大了。進一步冒險探問，我們私下的談話是這樣說的：『照你這樣固執，於你沒有益處的——你是誰？』『我都不怕——在倫敦人生地疏的旅客。』『你的生死，全在你自己的掌握中，不要自取其禍——你在這裡多久了？』『隨他怎樣——三星期了。』『這產業終不能歸你的——他們怎樣逼害你？』『我也不肯讓惡徒所得——他們不給我飯吃，讓我挨餓。』『倘若你簽了字，你便得自由釋放——這是什麼地方？』『無論如何，我終不願簽字的——我不知道。』『那麼，你不想爲她打算嗎——你是誰？』『要讓我聽見她親口這樣說——克蘭帝特。』『倘若你簽了字，便能和她相見——你從什麼地方來的？』『我寧可不和她見面——雅典。』福爾摩斯先生，我和他這樣的對話，若再隔五分鐘，我就可完全明白他們的祕密。不料那時室門忽開，有一個婦人闖了進來。我不及細辨她的容貌，但覺得她身材高瘦，姿態美麗，雲髮烏黑，穿著一件寬長的白色衣裳。她走進後，便說著很有抑揚聲調的英語道：『海洛爾！我不願再待在這裡了。像這樣的寂寞，而只有——啊！上帝啊！這不是保羅嗎？』最後的兩句話是希臘話。在那時候，那人已看見她，忽地扯去他嘴唇邊的膏藥，怪聲喊道：『蘇菲！蘇菲！』直撲到那婦人的懷裡。他們才一擁抱，少年見了，忙奔過去攔住，用力將婦人推出門去。同時年長的也奮力擒住那可憐的俘虜，硬把他拖出另一扇門去。那時只有我獨在室內，就站起身來，想要搜尋些痕跡，可以明白我究竟在什麼地方，但是幸虧我沒有舉步，因爲我回過頭去，見那年長的男子正站在門口，目光灼灼地向我監視著。他道：『米拉斯先生，今天我們爲了一些私事，請你到這裡來。我們本有一個會說希臘話的朋友，一時有事回到東方去，所以不能和那人談判。我們很高興你能代我們翻譯。』我聽了，勉強向他鞠躬謙謝。他又走到我的身邊，取出五枚金幣，拿給我道：『這裡有五個沙佛令（英金幣名，每沙佛令二十先令），算是感謝你的酬勞。但請你千萬不要把這事告訴任何人。否則，後悔莫及，上帝要爲你的靈魂悲傷了！』他說的時候，輕拍我的胸，而且笑聲咯咯，令人害怕。這時他和我很近，燈光之下，我看得更清楚些。我眞形容不出他的臉奇怪的醜狀。臉色慘淡蠟黃，濃髭滿繞臉頰下，說話時伸頭向外，嘴唇和眼皮一牽一牽的顫動，那一種慘笑，加深他的陰險。又加上兩頰內陷，可說是奇醜之至了。他又道：『你應知道我們消息很靈通的，所以你決不可向人家講起這事。現在已有車子在外等候你，我的朋友將會送你回去。我們再會吧。』我急忙走出去，坐到車中，萊第默仍舊緊跟著我，坐在我的對面，不發一語。車向前行，漫漫長途，仍不知道走向那裡去。直到夜半時，車子才慢慢停住。萊第默便對我說道：『米拉斯先生，你可在這裡下車。我很抱歉，不能送你回寓。但事不能兩全其美。你若想要跟蹤我的車子，那你一定有危險的。』他一面說著，一面把車門開了，我剛下車，那車夫早已揚鞭策馬，跑遠了。我很驚異地向四周一看，原來我是在叢林灌莽之中，昏黑莫辨。只見遠處有房屋的影子，一點一點的燈光，從樓窗映射而出，又見另一邊有一盞鐵道的紅色號燈。那時送我來的馬車，早已去得無影無蹤。我正呆立著，不知道走向何處去才好。忽見有人在黑暗裡向我站立處走來，臨近一看，知道他是一個鐵路警察。我就問道：『你能告訴我這是什麼地方嗎？』他道：『黃茲桓斯。』『我可以坐車到倫敦嗎？』『倘使你能走一英哩路，到克拉芬勤克興車站，還能坐末班車到維多利亞。』

福爾摩斯先生，這一段冒險的事情，我已講完了，我始終不知道我到了什麼地方，也不知道和我談話的是怎麼樣的人，但我料想那裡必將發生慘劇，我若有能力，很願去援助那個不幸的人。所以我在第二天的早晨，便將這事告知梅格勞甫‧福爾摩斯，並且也到警署中報告過了。」

米拉斯說完那段非常奇異的故事後，我們靜默了多時。歇洛克目光緊瞧著他的長兄。問道：「可有進展嗎？」

梅格勞甫在旁邊桌子上拿起一張日報，然後讀道：

「希臘人保羅‧克蘭帝特，從雅典來，不通英語，又一女子名蘇菲，兩人都已失蹤。如有人告知下落當得重酬，X字二四七三號。」

梅格勞甫讀罷，又道：「這廣告在倫敦各報都登載了，但是仍沒有什麼回音。」他道：「希臘使館可知道了？」「我已問過了。他們一點也不曉得。」「那麼，可以拍電報到雅典總警署去問。」

梅格勞甫對我看了一看，又道：「歇洛克，你總有能力去救那兩個可憐的人的！這事聽由你去辦吧。倘有好消息，請儘早讓我知道。」

我友從椅中躍起道：「那當然，我不但要告訴你，並且也會通知米拉斯先生。但是米拉斯先生，倘若我是你，此時一定要特別戒備。因爲他們必已讀到這則廣告，自然知道是你洩漏風聲的。」

他說罷，我和福爾摩斯就向兩人告別，一同回寓。在半途中福爾摩斯又到電信局去拍幾通電報。

他對我說道：「華生！這一個晚上，可算

不虛此行。梅格勞甫時常有奇案告訴我的。方才聽得的一事，雖是一個很難解決的問題，但必另有線索可尋。」我道：「此案你有解決的希望嗎？」他道：「哦！假如我們能多方推測，從旁推敲，也並不是很難的。你有什麼意見嗎？不妨深入想想，試著解釋那件事。」「好的，但我仍覺得很複雜。」他道：「那麼，你想這到底是怎麼一回事？」「照我想來，那個希臘女子一定是被那年少的英國人海洛爾‧萊第默所引誘的。」「那麼，從何處被引誘來？」「或許是雅典。」

歇洛克‧福爾摩斯搖搖頭道：「你沒聽到這少年不會說希臘話，那女子卻能說很好的英文嗎？這樣看來，那女子一定是早就在英國，那少年卻不曾到過希臘。」

「那麼，我們可以斷定女子必是先到了英國，然後被那少年勾引相識，才誘她一同隱逃的。」「那較近情些。」

我又道：「那個克蘭帝特想必是那女子的哥哥，或是她的親戚，從希臘前來干涉他們這件事的。卻因涉世未深，就落在那少年和他的老友的手掌之中，他們必然用暴力強逼他簽字在證書上——要他做個證人，使他們可以得到那女子的部分財產。但是他不肯應允，於是就和他談判。以前或許還用過別人翻譯，卻沒有結果，故而他們只好設法把米拉斯請到那裡，代他們譯述。克蘭帝特到英國來的事，他們並沒告知那個女子，所以她會感到驚異了。」

福爾摩斯高聲道：「好啊，華生！你所猜測的果然不虛。我們此刻已知道他們的大概情形了，但恐怕他們有什麼新計劃，如果他們能再等久一點，我們一定可破獲這案子了。」我道：「我們怎樣可以尋到他們的地方呢？假使我們所料的沒錯，那女子的芳名眞的是蘇菲・克蘭帝特，我們便不難追蹤了。因爲她的哥哥在倫敦雖然沒有人認識，但她和海洛爾交好，至少也有幾星期的時日，況且她的哥哥在希臘得了消息，趕到倫敦來，其中也必經過多時。假使現在他們仍居舊處，那麼，我兄所登的廣告，或許已有人來回答了。」

我們邊說邊走，已到貝克街寓所。歇洛克先上樓去，推開室門，他突然覺得驚異。我從他的肩後一看，也覺得很奇怪，原來他的哥哥梅格勞甫早坐在椅子上，正很閒適地吸煙。

他見了我們驚訝的表情，就微笑說道：「歇洛克，進來，你們請進來。歇洛克，你不是料我沒有辦事毅力嗎？但是現在這件事竟很能鼓舞我的精神。」福爾摩斯道：「你怎麼到此地的？」「我坐車來，所以比你們先到了一步。」「這事可有些新消息？」「我的廣告已有人答覆了。」「嘻！」梅格勞甫道：「在你們走後不過幾分鐘。」「怎樣說？」

梅格勞甫・福爾摩斯取出一張紙來，說道：「這一封信是用寬尖鋼筆寫的，字跡纖弱，並且傾斜不正，大概是中年人所寫。信裡頭說道：『今天讀到貴處的廣告，知道你們要徵尋這女子的下落，她不幸的歷史我約略知悉，倘尊處有人能枉駕來舍，我可一一奉告。她現住在倍根海的梅特別墅，也不難相見。——譚文卜德謹白。』」

梅格勞甫讀罷，說道：「這信是從下勃列克司登寄來的。歇洛克，我們現在何不驅車到那兒去探聽這事。你想好嗎？」

「我親愛的梅格勞甫，我想，救克蘭帝特

的性命比得悉那女子的景況更要緊。我們也許可以先到蘇格蘭警場去見警官葛萊生，和他一同到倍根海去。我們應知道，那人的性命間不容髮，命在旦夕。」

我也提議道：「最好要請米拉斯先生同往，因爲我們也需要一個翻譯的人。」

歇爾托．福爾摩斯應聲道：「很好！吩咐僕人快去預備一輛四輪馬車，我們立刻去。」他說話的時候，便去開抽屜，我瞥見他暗暗地把手槍藏在衣袋裡。他見我正看著他，便又道：「我敢說，我們此去要和危險的黨人對壘，不可不防。」

我們趕到包爾美旅館去找尋米拉斯，不料到他的寓所時，他已被一個客人請出去了。

梅格勞甫便問那傭婦道：「你可知道他到那裡去？」傭婦答道：「先生，我只看見米拉斯先生同一個客人坐馬車去的。」「那客人曾通報姓名嗎？」「先生，他沒有說。」「那客人是不是個身長貌美的少年？」「先生，不是的，他是一個矮小的人，戴著眼鏡，面容很瘦，說話時常常發笑，好似很快活的樣子。」

歇洛克忽然驚喊道：「這事危急了！我們快走！」於是我們三人立刻離了旅館，驅車到蘇格蘭警場去。在途中，福爾摩斯又向我們說道：「他們又把米拉斯弄到手了。他是一個懦弱而沒有勇氣的人，他們早已窺見他的弱點，所以那暴徒來劫他去了。他們一定又要利用他，但事成之後，他們可能會加害於他。」

我們希望可以趕快坐火車到倍根海去，但到了蘇格蘭警場，又等了一個多鐘頭，才遇見警官葛萊生，和他一同出發。這是合乎法律上的正式手續，以便我們可以進入人家的私宅。

九點三刻時，我們才到倫敦鐵橋。車行四十分鐘後，我們到了倍根海車站，又一同坐馬車跑了半英哩路，才到梅特別墅，那是一所很大的華廈，恰建在路的後端，我們下車打發了車子和車夫，便躡足而前。

葛來生悄悄道：「窗中全黑，一點燈光也沒有。」

福爾摩斯歎道：「我們要擒獲的鳥都飛走了，只留下空巢了。」「你怎麼知道？」有一輛裝著很重行李的馬車剛走不到一個鐘頭。」

葛萊生微笑道：「我也察見在門燈的下面，有車輪出去的痕跡。但是車上有行李從何說起呢？」

「你若仔細看，便可以看出有兩道車輪的行迹。向外的一道很深，所以容易看見，因此也可料想到那車子必然很重了。」

葛萊生聳肩說道：「我們不要在這裡空談了。那門很不容易進入的呢？假使沒有人應門時，我們只好想法子進去了。」

他就用手打門，敲得很響，又按動門鈴，但是都沒有用。那時福爾摩斯忽然走開，幾分鐘後又回來了。說道：「我已撬開了一面窗了。」

葛萊生道：「福爾摩斯先生，原來你在別處盡力。」

「事不宜遲，我們快快進去，用不著他們來請了。」

我們一個個從窗子進去，走到一間很大的屋子，大概便是米拉斯先生首先到的地方了。葛萊生拿他的警燈照著，在燈光之下，我們見室中有兩扇門，窗帘、帷幔、燈、椅子，以及日本古式甲冑，都和米拉斯說的一樣，桌上有兩隻玻璃杯子，一個空的白蘭地酒瓶，和吃剩的看饌。

福爾摩斯忽然驚問道：「快聽！那是什麼聲音！」

我們都立定了靜聽，果然聽見有一個低微的呻吟聲音，那聲音好像是從樓上傳出。他忙衝上樓去。葛萊生和我緊緊跟著，梅格勞甫也努力跟在後面。

二樓有三個門，聲音是從中間那間傳出的，有時含糊不清，有時尖厲刺耳。門雖鎖著，幸好鑰匙留在孔中，福爾摩斯很快地開門而進，但他反而立刻退出來，用手按住他自己的喉嚨。

他喊道：「這裡面有炭氣。我們且慢些進去，讓這氣散了再說。」

我們向裡面張看時，見室內有綠色的火光，是從一個很小的銅鼎裡發出，一縷青煙旋繞不已。我們又看見牆邊有兩個人蹲伏不動。我們把門開了，有一股很毒的濃煙冒出，我們都覺氣窒，令人想咳嗽。福爾摩斯奔到樓頂去開窗，讓空氣進來，然後直奔進去，很快地把窗子打開，將那銅鼎裏著抛出窗外。

他又氣喘著跑出來道：「再等片刻，我們可以進去了。燭火在那裡？恐怕帶進去是要爆炸的。梅格勞甫，你去拿著燈站立在門外，我們好去把他們救出來。」

我們就一鬨而入，找著了那中毒的兩個人，把他們拖到外面。那兩人都已昏去，失去知覺，面色慘白，似乎血液也已凝住，唇青眼突，實難辨認誰是誰，但一見那長黑的鬚髯和肥碩的身軀，我們便可認出其中一個是希臘翻譯員米拉斯。不久前他還在戴奧幾尼斯俱樂部中和我們相見的，不料此刻已弄成這樣。他的手足都被人緊緊縛住，額上腫起，顯見受過很狠重的毒打。還有那一個人，臉上滿塗膏藥，似乎滿佈著創痕。我們把他放下來，他已沒有氣息，因爲我們來遲，已救不了他，只有米拉斯還可救治，我們就用阿摩尼亞水和白蘭地酒施救，不到一小時，他慢慢張開眼來，欠身而起，我們果然把他救活了。

米拉斯既醒，就歷述他被劫的情形，和我們猜度的相似。原來那年長的黨徒，忽然到他的屋裡，用手槍威嚇他，又要挾他同走。米拉斯見了他的獰笑，驚惶萬分，一句話也說不出。他無可奈何又跟到倍根海，代他們和克蘭帝特相見，翻譯他們的談判。兩人便向克蘭帝特警告，揚言他若再不肯依，立刻要處死。克蘭帝特始終不肯答應，任他們怎樣威逼都沒有用，他們沒法子，就把他拉出去，重行監禁，然後再向米拉斯責問。爲何大登廣告，洩漏他們的祕密。他們以巨棒向他猛擊，他就猝然昏倒，不省人事，直到我們來救醒他。

他所說的不過是一個簡單的事情，其中的祕密仍舊不能明悉。回來後，我們又到那答覆我們廣告的人那裡去探聽，才知道那不幸的女子是希臘的富家之女，本到英國來訪友，稍作逗留。後來她忽和海洛爾・萊第默相遇。海洛爾知道她是富家千金，向她百般獻殷勤，誘她私奔。她的朋友驚悉此事，急往雅典通知她的哥哥克蘭帝特，以協助他妹妹與海洛爾劃清關係。克蘭帝特得信後，便趕到英國來。不料海洛爾與他的同伴威爾遜・康波狼狽爲奸，把克蘭帝特誘到別墅。克蘭帝特因爲言語不通，十分孤立無助。他們起先把他幽禁，不給他飲食，想要逼他簽字，將他自己和女子的財產一併歸給他們享用。因爲恐怕會被那女子知道，就用許多膏藥塗在他的臉上，即使她和他偶然相見，也不易辨認。不料她的目光銳利，竟已辨出，這便是米拉斯在翻譯時候所眼見的一回事了。那可憐的女子雖已窺破他們的奸謀，但在那別墅裡，除了馬車夫夫婦外沒有別人。兩人知道計謀已洩之後，希望不成，就用炭氣想把克蘭帝特和米拉斯一起弄死。他們也匆匆挾著女子高飛遠走去了。

幾個月後，忽見新聞上有一段奇聞，說在布達佩斯，有兩個英國人和一個婦人旅行到此，忽然發生悲劇，那兩個男子同時被刺斃。匈牙利警局派人去查勘案情，都認爲是爭寵互鬥而死。福爾摩斯見了，卻不以爲然。他深信那女子一定是想爲她哥哥報仇，就把兩人刺死。他認爲若能找到這一個希臘女子，一定可以聽她說明她報仇時的一切情形了。

駝背人（原名 The Crooked Man）

在我結婚數月後的一個夏夜，我坐在家裡吸著最後一斗的板煙，對著一本小說不停地點頭打盹，因爲白天的工作，讓我覺得很疲勞。我的妻子已上樓去。在不久以前，那前門上鎖的聲音也告訴我，僕人們也已歸睡。我從椅上站起身來，正想拍去煙斗裡的灰燼，忽聽見門鈴大響。

看了看時鐘，已經十一點四十五分。這樣的深夜，應不致再有訪客。這顯然是一個病人，也許還要我終夜伺候呢。我帶著不快樂的面容，走出去開門。不料出我意外，那個站在門外石階的人竟是歇洛克·福爾摩斯。

他道：「唉，華生，我希望我來見你還不算太晚！」「我親愛的朋友，請進來。」「你的表情很驚訝呢。那也不能怪你！啊！你現在還吸著你未婚時所吸的亞開廸煙嗎？我看你短外套上蓬鬆的煙灰，肯定沒錯。華生，人家一望而知你是穿慣制服的，你若不把你在袖中藏手帕的習慣改掉，那你怎麼也不像一個純粹的平民。你今夜可留我過夜嗎？」「儘可遵命。」他道：「你曾告訴我，你這裡有一間單人客房的，且我瞧你現在並沒有客人——你的帽架上早告訴我了。」「你若能住在這裡，我很高興。」「多謝你，那麼，我要佔據一個帽架的鉤子了。你屋中竟有不列顛工人，那是最討厭的。我希望不是修水溝的！」

我道：「不是，是修理煤氣的。」「唉，他的鞋子留下兩個釘印在你舖地的漆布上，燈光恰照在上面，非常清楚——不，我在滑鐵盧吃過晚飯了，但我願和你一塊兒吸一斗板煙。」

我把我的煙袋拿給他。他坐在我的對面，吸了好一會煙，靜寂沒有說話。我深知他在此時來見我，一定有重要的事情，因此，我耐著性子等他自己開口。

他向我注意地瞧了一會，說道：「我覺得你近來職務很忙呢。」

我答道：「正是，我今天也很忙碌的。」接著，我又繼續道：「在你眼中，也許一見便知，我卻不知道你怎樣推想而知的。」

福爾摩斯笑了一笑，答道：「我親愛的華生，我是知道你的習慣的。你出診的路程如果不遠，你總是步行的，假使診務繁忙，那你就要坐車子了。我見你的鞋子雖然穿過，並不很髒，便知你出外時常乘馬車。你的診務繁忙，也就可想而知了。」

我呼道：「妙啊！」

他道：「膚淺得很。這是一種例證。一個富推想力的人，所構思出的結果，往往使他身邊的人覺得驚奇。這是因那些人對於推斷上所憑藉的細小地方，都忽視不注意的緣故。我親愛的朋友，這種理論，之於你所記的各種案件也是一樣的。你記述時，把案中幾種要點故意保留下來，讀者若無領會，等到結局，自然要覺得驚奇動人了。現在我也處於這種與讀者同樣的狀況。因我手中握著幾件絞人腦汁的奇案，但我要成立我的假設，卻還缺少一兩種根據。華生，我想我可以得到的！一定可以得到的！」他說這話的時候，雙眸炯炯發光，瘦削的面頰也泛出一絲紅色。這時他的矜持都已除去，完全顯出他的天眞，但只有一剎那的時間，我再抬頭瞧他的臉時，又見他回復那種像印第安人一樣的死板表情。他這種態度，曾讓好多人以爲他已失了人性，變成一種機器了。

他道：「這案子有幾點特殊之處，很值得注意。我已著手偵查，據我料想，結果應該不遠。假使你能在這最後一步上助我一臂之力，對我幫助很大。」「我很願意效力。」「你明天可以往亞特蓄那麼遠的地方去嗎？」「可以的。」我想傑克遜可以代替我的醫務。」他道：「很好，我想在十一點十分從滑鐵盧車站出發。」「這樣，我就可以從容預備了。」「那麼，你現在如果不很疲倦，我可以把這案子的經過情形，和未來的工作，約略說給你聽。」「你沒有來的時候，我是眞的很疲倦了。現在卻已完全清醒。」他道：「我講這件案子，當設法不使案中的要點遺漏。你也許已從報紙上讀得了這事。就是亞特蓄的錦葵隊白格蘭上校懷疑他殺的案子。」我道：「我一點也沒聽過。」

「這案子除了當地以外，似還沒有引起人家的注意。這事只發生了兩天。大約的情節如此：你知道錦葵隊是不列顛軍隊中最著名的一支愛爾蘭兵團，他們在克里米亞和茂鐵尼兩次戰役中，曾立過奇功。自從那兩次戰事以後，每有戰役，都有顯著的功績。這軍隊直到上星期一晚上，一直都由詹姆斯・白格蘭上校所統率的。上校是一個勇敢善戰的人。他投軍時本是一個平民，只是一個小兵，後來在茂鐵尼戰時，因爲屢屢建功，便受到提拔，後來就做了這兵團的統領。白格蘭上校還是軍士的時候已經結婚。他的妻子叫做南西・德佛伊，她是他軍中前任上士的女兒。因此，我們可以想到當時這一對年輕夫婦，在他們的新環境中，不免要受到排擠。雖然如此，他們卻很能適應，沒有多久，白格蘭太太已和軍團中的女眷們往來密切。白格蘭對於同伍的弟兄也非常和善。我要補充說一句，她是一個非常美麗的女子，現在雖已結婚近三十年，至今仍丰姿綽約。白格蘭的家庭生活看來似很快樂——這是我從墨菲上校那裡探得各種情形。據他告訴我，他從不曾聽過上校夫婦間發生過什麼誤會。大體而論，他覺得上校待他的妻子，似比他的妻子待他更見眞摯。有時白格蘭上校如果和他的妻子分開一天，他便會感覺不安。他的妻子雖然也是忠於她的丈夫，但是沒有像上校熱愛她一般。在全軍之中，他們二人被稱做模範的中年夫妻。因此以他們的關係，對於後來發生的慘劇，是很難想像的。白格蘭個人的行徑上似有幾種特異之點。平常他是一個勇敢而快樂的老軍士，但從某方面看來，他似乎又做得出一些粗暴和復仇的行爲。但這種脾氣，在他妻子面前，卻從來沒有發生過。除了墨菲上校以外，我還向其他兩三個軍官問過，據說上校有時會露出一種憂鬱的神態。墨菲也告訴我，他常覺得上校在和同伴們宴樂談笑的時候，臉上的笑容有時會突然消失，彷彿暗中有什麼東西阻擋他的快樂。在他臨難的前幾天，他的精神特別鬱鬱不振。這種樣子和他有時某種迷信的態度，在同伍們眼中看來都覺得很不尋常。上校最不喜歡一個人獨處，尤其在天黑以後。他這樣的特性，引起了人家的議論和猜疑。錦葵隊的第一團本是第一一七舊聯隊所改組的。這隊伍在亞特蓄駐紮了好多年。那些有妻子的軍官，都住在營房外面。這幾年來，上校就住在距離北營半哩路一間叫做藍景的小別墅中。那屋子四周都有空地，朝西的一面離馬路不到三十碼遠。屋中有一個車夫和兩個女僕，此外只有上校夫婦兩人，他們還沒有兒女，平日也絕少住宿的客人。現在要說到上星期一晚上，九點到十點之間，在藍景別墅裡發生的事情了。白格蘭太太是一個天主教徒，對於教堂設立的一個聖喬治慈善會非常熱心。這慈善會隸屬於華德街的禮拜堂，目的在施發舊衣給那些貧苦的人們。那天晚上八點鐘時，這個慈善會要開一個會，白格蘭太太因爲要出席那個會議，晚飯時非常急促。她出門的時候，車夫聽見她向她的丈夫說不久就可以回來。接著她到鄰近的一個馬立森小姐家裡去，邀這少女一同赴會。她出去約有四十分鐘。九點一刻，白格蘭太太便回家。那時她仍與馬立森小姐一同回家的，直到馬立森家門口，彼此方才分手。藍景別墅中有一間清晨憩息之室。這一室面向著馬路，有一扇玻璃的摺門，和草地相通。草地約有三十碼寬，草地邊上只有一　短牆和馬路隔開，牆的上端還裝著一排鐵欄。白格蘭太太回家的時候，就從這一室進去的，那時窗上的窗簾沒有拉下，因爲這一室平日在晚上不常用。但白格蘭太太到了裡面，點著了燈，便按鈴叫女僕琦娜送一杯茶進去。這一點和她平常的習慣相反。那時白格蘭上校正獨自在餐室中，聽見他妻子回來的聲音，也就走進晨室裡去。那車夫親眼見他經過了通道，走到裡面去的，但只此一見，以後他便死了。夫人所吩咐的茶，過了十分鐘後，方才泡好。正當那女僕想端茶進去的時候，恰好聽見室中主人夫婦正爭吵得非常激烈，那女僕在門上叩了幾下，沒有回答，又把門鈕旋了一旋，那門竟從裡面鎖著。因此，她忙回去告訴那個當厨子的女僕。接著，這兩個女僕同車夫一塊兒走到室門外的通道之中，聽見裡面的爭論聲音越發激烈。他們都說室中只有兩種聲音——白格蘭上校和他的妻子。白格蘭的聲音威猛而激烈，那三個僕人一時都聽不出來，白格蘭太太的聲音，卻非常沈痛。她的聲音尖銳，他們聽得很清楚。她一再重複說道：『你這懦夫！現在怎麼辦呢？還我青春！我不願意再和你一起生活了！你這懦夫！你這懦夫！』這就是僕人們聽見白格蘭太太的說話內容。接著，忽被那男子的怪叫聲所打斷，又有一陣碎裂的聲音與那婦人的尖叫聲相繼傳出。這時門外的車夫，覺得裡面已發生了什麼慘劇，奔到門口，想破門進去，室中的尖叫聲持續著，但車夫竟弄不開門。女僕們因害怕的緣故，都不能幫他。那車夫忽然想出了一個主

車夫竟弄不開門

意，他從通道裡走到門外草地，再從草地上繞到晨室前面。那裡的長窗開著，因在夏天，開窗原是尋常的事。車夫到了裡面，見他的女主人已停止了尖叫，躺在一張長椅子上，似已失了知覺。在火爐的一角，他的主人僵直地躺在地上，兩隻腳還擱在一把扶手椅的一邊，血流滿地，已氣絕而亡，那車夫因沒法挽救他的主人，就想要打開那室門，但不料卻碰到意外的

困難。那門上的鑰匙，並沒留在鎖孔之中，室中也無從尋覓。所以他仍從長窗出去，到外面叫了警察和醫生才又回來。論情形，上校的妻子自然有重大的嫌疑，那時她還沒有知覺，故將她抬進她的房中，又把上校的屍體放在沙發上，然後對現場仔細地察驗。那不幸的老軍士所受的致命傷，是頭部後大約兩吋長的傷口。這傷口好像是被一種笨重的兵器猛烈地擊了一下。這兇器卻不難猜想，因在近屍體的地板上面，留著一根飛柄雕刻的硬木棒。上校生前收集了各種不同的兵器，那些都是他在各地打仗時隨處搜集，作爲他出戰的紀念品的。故警察們猜測，這根棒一定是他的紀念物之一，僕人們雖都不承認以前見過這一根棒，但屋中既陳放了無數奇怪的東西，所以也許是他們忽略了沒有注意。警察們當時曾在室中搜查，找不出什麼重要的東西。不過有一點最難解釋，就是門上的鑰匙不在死者身上，竟然也不在白格蘭太太身上，並且在室中各處搜過，也都沒有結果。最後是到亞特蓄去叫了一個鐵匠來，方才把門打開。華生，這就是這案子的情形。星期二早晨，我因墨菲上校的請求，特地去亞特蓄，幫助警察們偵查。我想你也會承認，這一個案子很有趣。但經我觀察後，覺得這案子的實情比外表所見的更離奇。我在察驗現場以前，先向僕人們究問一番，所得的結果，就是我現在說給你聽的情形。但那女僕琦娜還說了一件令人注意的事。你總記得當琦娜第一次聽見室中爭論的聲音時，曾退回去叫別的僕人。在她沒有退回去之前，她一個人站在門外，聽見裡面主人夫婦的聲音低而模糊，聽不出什麼。她之所以覺得他們在那裡爭吵，不是從他們的話語，而是從他們的聲調上知道的。雖然如此，她還記得聽見她的女主人，曾提過兩次大衛這個名字。這一點對於推究他們突然爭吵的理由很重要。因爲上校的名字叫做詹姆斯，並不是大衛。這案子另有一事讓警察和僕人們印象深刻，就是上校死時有一種非常恐怖的表情。那種猙獰可怕的表情竟使好幾人一見驚暈。這一定是他覺察了他的不幸命運，因此驚怖起來。據警察們的推測是上校忽見他的妻子有謀殺的舉動，因此才有這樣的表情。但和他顱後的致命傷相提並論，又覺得牴觸不通。因他若見他的妻子向他行兇，應該是可以逃免的。白格蘭太太現在因急性腦炎發作，因此無法向她問什麼話。我從警察們的調查上知道，他們也曾查問過那晚和白格蘭太太一同出去的馬立森小姐。但她對於白格蘭太太爲什麼回家後會爭吵，完全不知道。華生，我查明了這種種事實以後，連吸了幾斗板煙，打算把那交錯糾結和偶然發生的事情一件件細分開來。這裡面有一個最顯明之點就是那門的鑰匙不見了。室中已仔細搜查過了，毫無端倪，可見這鑰匙一定被什麼人取走了。但上校夫婦都沒有拿這鑰匙，可知必有第三個人進過室內。這第三個人只有從那長窗裡可以進身，我因此想，若在那室中和室外的草地上小心勘驗，也許可以查出這個神祕人的蹤跡。華生，你是知道我的方法的。那時我用了各種方法，最後竟眞查出了幾個足印，不過和我所期望的不同。室中果眞有一個人到過，那人是從馬路上穿過了草地進去的。我一共得到了五個淸楚的足印。一個在馬路的旁邊，當他爬進短牆的時候留下的；兩個在草地上；還有兩個很淡，印在那近長窗的地板上面。他經過草地時奔得很快，因爲他的足尖比足跟更深。但使我詫異的，並不是這一個人，而是他的同伴。」

「他的同伴？」

福爾摩斯從衣袋中取出一大張棉紙來，很小心地攤開，放在他的膝上。問道：「你瞧瞧這東西。」

那紙上印著幾個小動物的足印，那足印有五個足指，還有長的爪尖，印的大小像一隻羹匙一般。我道：「這是一隻狗。」他道：「你可聽過一隻狗爬到窗簾上去嗎？我在窗簾上發現這明顯的痕跡，顯見這東西曾爬到窗簾上。」「那麼，是一隻猴子嗎？」他道：「但這不是猴子的足跡。」「那麼，是什麼呢？」

「這不是狗，不是貓，不是猴，也不是任何我們所熟知的東西。我曾經從足印的距離上猜想。這裡有四個足印，這是那東西靜立時留下的。你可以瞧見前足和後足的距離，至少有十五吋，再加上那東西的頭和頭頸的長度，便知這東西有二呎長——假使有尾巴，那也許還要長些。現在你再瞧別的尺寸。這裡又有那東西走動時跨步的長度，每一步有三吋，你便可推測這東西的身體很長，腳卻很短。這東西雖沒有留下什麼毛來，但大概的形狀一定和我所說的相似。這東西能爬到窗簾上去，定是一種肉食的獸類。」

我道：「這一點你怎樣知道的呢？」他道：「窗口上面掛著一隻雀籠，那東西所以爬上窗簾，想必就是要捕取那籠中的金絲雀。」「那麼，牠究竟是什麼獸類呢？」「唉，假使我能夠知道這東西的名字，也許這案子早破了。不過可能是鼬類之類的東西，不過比我以前所見的大些。」「但這東西和罪案有什麼關係呢？」

「這一點我還不明白。但我們所知道的也已不少。我們知道當白格蘭夫婦爭吵的時候，有一個人站在馬路上瞧著。那時室中的燈光明亮，窗上的窗簾也沒有拉下。我們也知道這個人穿過了草地，走進室去。那時這人的奇怪同伴也一同跟著。這人也許就狙擊上校，或是上校見了這個人害怕而跌倒，他的頭就撞到壁爐角上。此外我們還知道一件奇異的事，就是這個不知名的人，臨走時還把鑰匙帶去。」

我道：「因爲你這種種的發現，反而使這件事更模糊了。」

「不錯，現在可知道這件事情比先前料想的更神祕了。我已仔細想過，且決定從另一條路著手偵查。華生，此刻先不要打擾你的睡眠，我想別的事還是等明天我們在亞特蓄時再說給你聽吧。」

「謝謝你，但你既已說到這裡，不能就這樣停止了。」

「好，我就不妨完全說明白。我們已確知白格蘭太太在七點半外出的時候還和她的丈夫很融洽的。雖然對丈夫沒有特別的熱愛，但據車夫說，她臨走時和上校的談話態度，仍平和如常。可是一回來後，便反常地走進那晨室裡去，好似不願見丈夫的臉。接著她吩咐僕人取茶，那也是任何婦人在震怒時常有的事。後來上校忽進去見她，於是他們的爭吵便開始了。因此，可知在那晚七點半和九點鐘之間，白格蘭太太一定遭遇了什麼，讓她對上校的感情完全改變。在這一個半小時之中，那個馬立森小姐一直和白格蘭太太同在。因此馬立森小姐雖然不肯承認，但實際上她一定知道這件事的。

我第一種推想是，或許這少女和上校有什麼曖昧關係，那晚這女子自己在白格蘭太太面前表白了，因此白格蘭太太一回家後，便立即發怒爭吵。他在爭吵時所說的話，和事發以後馬立森小姐毫不承認知道什麼，都是和這假設符合的。但從別的方面看來，卻也有矛盾之點。因白格蘭太太爭吵時曾提起大衞的名字，白格蘭上校待他的妻子又非常懇摯，以上都是和這假設不合的，還有那第三個人直闖進去，更和這假設不能符合。在這種情形之下，進行的步驟固然不容易決定，但我決定把上校和馬立森小姐有關係的假設丟在一旁。僅認定這少女對白格蘭太太忽然恨惡她的丈夫一定知道這些隱情。於是我就決定走這一條明顯的路，到馬立森小姐家裡去，我明白地告訴她，我確知她對這事一定知情。並且告訴她這件事若不弄明，她的朋友白格蘭太太勢必要被逮捕。馬立森小姐是一個瘦小而嬌弱的女子，淺褐色的頭髮，含怯的眼睛，很惹人憐，也聰明伶俐。她聽我說明了情由以後，默坐尋思了一會，便說出一大篇話來。我現在姑且簡短些說給你聽。她說道：

『我曾允諾我的朋友，決不把這件事說出來，我本來打算保守祕密的，但現在她既然蒙受嫌疑，她自己又因病不能開口，那麼，我假使能幫她，自然也就沒有保守祕密的必要了。我可以把星期一晚上的事情完全告訴你。我們從華德街教堂回來的時候，大約是八點三刻。那時我們必須從冷僻的哈德遜街經過，這街上只在右邊有一盞路燈。當我們走近這路燈的時候，我瞧見一個人朝著我們走來。這人的背駝得很厲害，肩上扛著一個像小箱子一般的東西，並且好像是有病，走路時低垂著頭，膝骨也很彎曲。我們走近他時，他忽抬起頭來，藉著那路燈的光線，向我們瞧視。他忽站定，發出驚呼的聲音：「我的天啊！是南西！」白格蘭太太忽然臉色灰白似死，那時假使沒有那個可怕的

他驚叫道：「我的天啊！是南西！」

人將她扶住，她勢必要跌下去了。我正想去叫一個警察來，不料出乎我的意料，白格蘭太太竟很客氣地和那個人談話。她顫聲說道：「亨利，三十年來我以為你已死了！」他答道：「我原是已經死了。」他說話的聲音很可怕。他的臉色黝黑而猙獰，我見了他的眼光，竟然做惡夢。他的頭髮和鬢鬚都是灰色，面頰也皺縮得像乾枯的蘋果。白格蘭太太忽向我道：「請妳走前幾步，我要和這個人說一句話。這事不用害怕。」她說這話時似要裝出很輕鬆的樣子。但她的臉色仍像死灰一般，說話的聲音也顫抖。我照著白格蘭太太的話走開。他們倆便談了幾分鐘。接著，她也就走到我停留的地方來，露出奇怪的眼神。我回頭瞧那跛足的男子，仍站在路燈桿旁，向空揮動他的拳頭，彷彿他已憤怒極了。白格蘭太太一路上沒說一句話，直到我家門口，她忽拉住我的手，請求我不要把這件事向任何人說起。她說道：「這是我的一個老朋友，離開了好久，忽又出現了。」我允諾她決不提起這事。她便一吻我的額角，分手回家。從那以後，我至今還沒有見過她。

這全是事實。我起先所以不肯告訴警察們，就因為我還不知道我朋友所處的危險地位。我現在知道若眞的為了她好，我應當把一切事說明清楚。』華生，這就是馬立森小姐告訴我的話。你能想像我聽了這一番話，眞像黑夜中得到了一線光明。從前各種似乎都不相關聯的事情，這時卻漸漸貫串起來。這樣的事實，我起初本也有些預感的，不過沒法證實罷了。我第二步的進行，自然要去找尋這一個使白格蘭太太發生改變的怪人。假使他還留在亞特蓄，那當然不難找尋。這地方居民不多，像這樣一個有病狀的人，勢必要引起人家的注意。我費了一天的搜尋功夫，終於在今天的傍晚被我找到了。華生，這個人名叫亨利·荷德，就住在那兩個婦人遇見他的那條街上。他來這地方只有五天，我假託登錄人員的名義，和那寓主人談了好一會。這個人是一個演戲的幻術家，每到晚上，常往兵士聚集的茶酒館表演他的戲法。他常帶著一個動物一同出去。這動物關在一隻小箱中，據她說這是隻奇獸，那寓主人很害怕，因為她從來沒有見過這樣的動物。這人的身體佝僂，說話時的聲音有時很怪。在前兩天夜裡，她聽見他呻吟哭泣，他寄寓的費用並沒缺少，但他預付租金的時候，給那寓主人一種外國錢幣，她疑是贗品。她曾把那錢幣給我看過，那是一種印度盧比。華生，現在你可以明白我們處在什麼狀況，且我為什麼需要你的助力。我們已知道那兩個婦人和這人分離以後，他遠遠地跟著，後來他又從窗裡瞧見上校夫婦爭吵，就奔了進來，那時他放在小箱中的那隻奇獸，大概也逃了出來。這樣推斷，已和事實完全符合。所以那晚室中案發的情形怎樣，只有他一個人能夠告訴我們了。」

「那麼，你決定要去問他嗎？」「那當然，但還需要一個見證才行。」「你可要我去做見證嗎？」

「你若願意，再好沒有。假使他能夠把這事說明清楚，那當然最好。倘若他拒絕不說，那麼我除了請求一張逮捕狀外，也沒有別的方法了。」

「但我們再到亞特蓄去時，你怎麼知道他還留在那裡呢？」

「那我自然有準備。我已派了一個貝克街的少年守住他。他無論往那裡去，那少年一定會跟牢他的。華生，我想我們明天一定可往哈德遜街看他的。但眼前我假使再不讓你睡，那我自己也不免要做一個罪徒了。」

次日我們往案發地點去時，天氣非常晴朗。到了那裡，我的同伴在前引導，我們便一直往哈德遜街去。福爾摩斯雖是善於掩藏他的情感，那時也顯出不安的神色。我心中一半是感到冒險，一半卻是感到快樂。我每次和我的同伴偵查案子，往往有同樣的經驗。

他轉彎進了一條兩旁都是二層樓磚屋的短街，便向我道：「就是這條街了——啊，辛普生來報告了。」

有一個衣服襤褸的少年，向著我們奔來。說道：「福爾摩斯先生，他在裡面。」

「辛普生，很好。」福爾摩斯說著，伸手在那少年的頭上拍了一拍。又向我道：「華生，來吧。就是這間屋子。」福爾摩斯取出一張名片，並說他是有要事來的。數分鐘後，我們便和那個人面對面相見。天氣雖然很熱，他卻仍伏在火爐前，那小室竟然熱得像火坑一般。這個人蜷伏在他的椅子上，使人一見便知道他有病。他的面容雖然瘦弱而枯黃，但他從前一定是一個俊秀的人。他懷疑的目光瞧著我們，並不開口或站起來，只向著兩隻椅子揚了揚手要我們坐下。

福爾摩斯婉聲說道：「我想你就是從前在印度的亨利．荷德先生吧？我們是爲著白格蘭上校的死來的。」那人道：「我怎麼會知道這一件事呢？」「我想你總知道，這件事若不弄清楚，你的老朋友白格蘭太太也許就要被判謀殺罪了。」

那人猛然一驚道：「我不知道你是誰，也不知道你怎麼會知道這一件事。但你敢發誓，你所說的話是實話嗎？」「當然是！警署等她一回復知覺，就要逮捕她了。」「我的天啊！你就是警察嗎？」「不是。」「那麼，這事和你有什麼相干呢？」「爲伸張公義起見，任何人都應干涉的。」「那麼，你可以相信我的話，她是無罪的。」「那麼，犯罪的是你嗎？」「不，我也沒有罪。」「這樣，是誰殺死詹姆斯．白格蘭上校的呢？」

「這是天意。但你須記住這一句話，我心裡的確有殺死他的意念。假使他果眞死在我的手中，也是他罪有應得。當時如果老天爺沒有懲罰他，那麼，我也勢必要處死他的。你要我說明這一件故事嗎？好，我也不必隱瞞，因爲我說出來也決不慚愧。先生，故事是這樣的：你現在雖見我的背像駱駝一樣，肋骨也彎彎曲曲。但在當年，第一百十七步兵隊中，卻曾有過一位最英俊的下士亨利．荷德。那時我們都駐守在印度的布爾地。已死的白格蘭也是一個軍士，和我同屬一隊。那時軍中有一個美女，就是一個軍旗軍士的女兒南西・德佛伊。當初有兩個男子深愛她，她卻只愛一個。你們現在瞧我這樣蜷伏在火爐面前，也許覺得可笑。但老實說，她因我當時的丰采，所以一心一意愛著我。南西雖然愛我，但她的父親卻把她嫁給白格蘭。我那時是一個普通的少年，白格蘭卻已受過教育，並且軍職也比我高。但南西仍忠心於我，我自覺還可能娶她。但忽然發生茂鐵尼戰亂，全國都騷動起來。我們被困在布爾地，我們全軍只有砲兵半隊、錫克教兵一隊，此外圍城中還有許多平民和婦女。那圍困我們的亂軍竟有一萬之數。他們像一羣兇猛的獵狗，圍集在一個鼠籠的周圍。到了第二個星期，城中的飲水缺乏了。那時尼爾將軍的軍隊正待移動，所以我們商議，能否向這大軍通報一聲。我們既不能帶著妻女孩子殺開血路逃出去，因此只有這一個求援的方法。於是我自告奮勇，往尼爾將軍那邊去尋求支援，而我的請求被允准了。我就和白格蘭軍士商量，因爲大家都知道他是最熟悉地形的。他就畫了一張圖給我，以便我可以照著圖逃出亂軍的範圍。那天晚上十點鐘，我就出發。城中有一千多條性命等待救援，但我從城牆上下去的時候，心中只惦記著一人。我走下城牆，有一條乾涸的城河。我盤算也許可以從這條城濠裡前進，不致被敵人的哨兵瞧見。但我在乾濠中匍匐行進了一會，剛到轉角，忽見六個哨兵正躲在黑暗中等我。我立即被他們打倒，手足都被縛住。但我頭上所受的傷痛還輕，心中的傷卻難以忍受。因我聽見這些哨兵們談話，約略可以明白，我所以被他們擒住，是因我的同伴白格蘭私自叫一個土著的僕人暗通消息給敵人的。以後這故事中就沒有我的分了。但你們已可知道詹姆斯實在是一個卑鄙的人。隔天，尼爾將軍自行到來，把布爾地城的圍解了。但亂軍們退兵的時候，把我也帶去，於是我有好多年都沒見過白人的臉。我曾設法逃走，但終被他們捉住，又受了不少的苦刑。你們應可以明白我那時的情形究竟怎麼樣了。亂平以後，有幾個人帶著我逃到尼泊爾，後來又轉到大吉嶺。那裡的山民把那幾個竄逃的亂兵殺死了，所以我就改做了這些山民的奴隸。直等到我有了機會，方才脫逃，但我只能向北，不能往南。後來就到了阿富汗，我在那裡遊蕩了幾年，最後回到了旁遮普。在這地方我和土人們同處，又學會了幾種把戲藉以維生。我既成了一個跛子，何必再回到英國去找我的老同伴呢？我雖然有復仇的意思，卻也不願回來。我寧可讓南西和我的同伴認爲我已死了，卻不願教他們見我這樣子撐著手杖，像猩猩一般。他們既深信我死了，我也不願再露臉。我聽說白格蘭已娶了南西，並且在軍隊中升遷快速，但我仍不想說出眞相。但人到了老年，思鄉的意念卻不覺油然而生。好幾年來，我夢想著英國的鮮綠田畝，和幽美的風景。後來我決定在我瞑目以前，要再見見故鄉的風物。我存了些船費，就回到這駐軍的地方。因我知道兵士們的性情，並知道怎樣使他們快樂，也藉此維持我的生活。」

歇洛克．福爾摩斯說道：「你的故事眞是非常動人。我對於你和白格蘭太太相見的情形，已完全知道了。我知道那時你跟著她回到她的家裡去，又從窗裡瞧見她和她的丈夫爭吵，吵的時候，她必定申斥他的行爲。你情不自禁，便奔過了草地，走進他們的室中。」

「先生，正是這樣。他一瞧見我，忽露出一種驚怪的表情，我從來也沒有見過。接著他向後跌倒，頭便撞在壁爐角上。其實他在跌倒以前，早就死了。因我瞧見他當時的臉上透露出死亡的訊息。原來他一見到我，就像一粒子彈，穿進了他犯罪的心坎裡。」

「以後怎樣呢？」

「那時南西嚇暈了。我從她手中取得了門上的鑰匙，正想開門呼救。在這當兒，我忽覺得不如就悄悄離去的好。因爲這件事對我很不利，假使我被捕，我的祕密就要被宣佈出來了。匆促間我順手把鑰匙放在袋中，又放下我的手杖，追捕特廸。因那時特廸已逃了出來，爬上了窗簾。我把牠捉住之後，重新關進牠的箱子裡去，接著我就急忙逃出。」福爾摩斯問道：「誰是特廸呢？」

那人略略斜著身子，把屋角邊的一隻籠子的門拉開，轉瞬間便有一隻紅棕色毛，很美麗的小動物跳了出來。那東西瘦小而柔軟，鼬鼠似的短腿，細長的鼻子，和一雙紅色的眼睛，樣子很奇異。

我呼道：「這是蒙鼠。」那人道：「是啊！有些人這樣稱牠，也有人把牠叫做貓鼬，我卻叫牠捕蛇鼬。特廸也是善於捕蛇的。我這裡有一條大蛇，但毒牙已拔掉了。每夜在兵士們的酒館中，我常讓特廸表演捕蛇的戲，引他們笑樂。先生，還要問別的話嗎？」「好了，假使白格蘭太太有什麼困難，那我們還須來找你的。」「如果這樣，我可以自己去。」「假使不必要，那也不必把死者的惡跡播揚出來。你現在至少也可以滿意了。因在過去的三十年中，他的惡行已讓他的良心受到譴責。啊！墨菲上校從那裡走過去了。荷德，再會！我得問問他，昨天至今可還有發現什麼事情。」

我們出來以後，奔到街角，便追到了上校。他道：「啊，福爾摩斯，我想你可能已聽說，這一次的事情，結果並不特別。」「那麼，是怎麼回事？」「驗屍的報告已出來了。據醫生的診斷，白格蘭上校的死，是因中風所致。所以不過是一件極簡單的案子。」

福爾摩斯微笑說道：「唉，這樣的結果也好。華生，來，我想我們不必再留在亞特蓄了。」

當我們向車站前進的時候，我說道：「還有一點哩。那丈夫的名字既叫詹姆斯，另一個叫亨利，那麼，爭吵時為什麼還有一個大衛的名字呢？」

「我親愛的華生，假使我是一個你所常描述的推理家，那麼，這一個名字早可以使我推想到全部的故事。原來這個名字，是白格蘭太太藉以咒罵的！」

「咒罵嗎？」

「是啊。應該知道大衛也曾有過像白格蘭上校同樣的行為。你可記得烏利亞的妻子拔示巴被大衛王誘佔，大衛又設計陷害烏利亞的故事嗎？我對聖經的記憶有些模糊了。但是可在撒母耳記第一或第二章去找，便可以找到這個故事了。」

醫生的奇遇（原名 The Resident Patient）

我曾試著把我的朋友歇洛克・福爾摩斯先生智能上的特點介紹給大家。現在我看看那些不相聯貫的記載，一時竟不知要選擇什麼性質的案子，才能在各方面都適合。因爲有許多案子，雖也足以表現福爾摩斯分析的理論，和他特殊的偵查方法，但案情的本身卻都淺易而平淡，所以我覺得都不足以介紹給一般讀者；從另一方面看來，也有許多案子，情節的確驚奇動人，但結果卻又不能滿足我的期望。我曾經記下一件小小的案子，叫做「血字的研究」，後來又記過「囚舟記」，這兩個案子我覺得最是動人，這種才可以算做有記載的價值。現在我要敍述的這一件案子，在當時雖然沒有費我的朋友多大的偵查力量，但整個案情很離奇，我覺得實在不能夠遺漏不載。

那是十月中一個煩悶的雨天。我們的窗簾拉下一半，福爾摩斯蜷坐在一張沙發上，將那一封早晨接到的信讀了再讀。我因在印度服過兵役的緣故，養成了一種怕冷不怕熱的體質。所以溫度雖然已升到九十度，我還不覺得難受。但那天的晨報實在乏味得很。議院已休會了，大多數人都離開了城市。因此很讓我渴望新森林中的空地，和南部海邊的木屋。但因銀行中存款的拮据，不能不使我的假期延擱一陣子，但對我的朋友來說，無論鄉居或海邊，都沒有吸引他的地方。他只喜歡匿伏在五百萬人口的中心，對那些傳聞或懸案竭力地搜索探討。他對於欣賞自然，似乎完全沒有嗜好。他惟一的改變，是在閒暇時，到鄉間去找他哥哥。

我覺得福爾摩斯全神貫注，沒有意思談話，便把那張枯寂無味的報紙丟在一旁，仰靠著椅背遐思。忽然我朋友的聲音打斷我的思緒。

他說道：「華生，你想得沒錯。不過用這種方法解決爭端，實在是大大的謬誤。」

我順著他的口氣，驚呼道：「大大的謬誤！」我忽發現他怎麼已覺察了我的心思呢？於是仰直了身子以詫異的目光看他。

我問道：「福爾摩斯，這是怎麼回事？這眞是我意想不到的。」

他見我迷惑的神情，便縱聲大笑道：「你該記得不久以前，我曾把愛倫·坡筆記中的一段讀給你聽。他記述一個善於推理的人，竟能察覺他的朋友的思想。你卻以爲是作者的理想之談。我曾告訴你，我也常有這種同樣的經驗，你卻表示不相信我。」我辯道：「啊，我沒有說過不相信的話！」

福爾摩斯道：「我親愛的華生，你嘴裡或許沒有說，但你的表情上卻實在有過這樣的表示。因此，我見你把報紙丟下，斂神凝想的時候，我很高興有機會可以猜度一下你的思想。並且半途把你的思緒打斷，以便證明我前次的話是有可能的。」

但我還不滿意，說道：「在你讀給我聽的那段記述中，似乎那推想的人，因瞧見了別人的動作，才能夠猜測那人的思想。那人先在一堆石子上絆了一跤，然後仰起頭來看天空的星星。有了這種種的動作，那測度的人才有所憑藉。我卻很安靜地坐在椅子上，有什麼跡象可讓你憑藉呢？」

「你這話錯了。須知人們所有的五官，都可以表示他心中的情感。你的五官，尤其是如此。」

「你可是說，你是從我的臉上測度我的想法的？」

「正是。你的眼睛更是如此。恐怕你已記不得你思想的途徑，是從那裡開始的吧？」「當眞記不得。」

「那麼，我來告訴你。當你把報紙丟下的當兒，就引起我對你的注意。你靠著椅背，空洞洞瞧了半分鐘，後來你的眼睛便注視在那一張新裝框架的戈登將軍肖像上。我見你臉上起了變化，知道你的思想機關已開始啓動。不過這時你的思想並不深遠。接著，你的眼光又瞧到書架上那張沒有配架子的亨利・皮丘（美國牧師及演說家）的照片上面，然後又移到牆上。你思想的歷程便很明白，你想：如果這一張照片也配了架子，那就可以把這牆壁的空處補好，並可和戈登的肖像配成一對。」我驚呼道：

「你當眞猜想得一點也不錯！」

福爾摩斯又道：「這當然不致於弄錯的。你第二步的思想，就重新回到皮丘的照片上。那時你的眼光非常專一，似乎你正從他的狀貌上研究他的性格。一會兒，你的眉頭不再緊皺，眼光又起了變化，顯見你的思想又活動起來——你追想到皮丘生前的經歷。那我就確信你不能不聯想到他在南北戰爭時對於北方的任務。我見你顯出一種怒容，表示對他的遭遇抱不平。不一會，你的眼光又從照片上移到別處，好像你又想到南北戰爭上去。當我見你的嘴唇緊閉，眼睛發光，兩手也緊握著拳頭，我便料定你果眞想到戰爭時兩方的慘烈。可是一刹那間，你臉上露出憂容，又搖了搖頭，那你一定想起了戰爭時的悲慘、恐怖和許多犧牲。你的手忽摸到你自己的舊創傷上，唇角上也呈露一絲笑容，這可見得你正聯想到當時平息爭端的方法，實在覺得可笑。這見解我也同意。因此，我就下了一句同情的斷語，把你驚醒，同時我也知道我的種種推斷完全準確。」

我說道：「完全正確！現在經你解說明白，眞使我越發驚訝了。」

「我親愛的華生，老實對你說，這是膚淺的，並不足奇。假使你那天沒有對我表示不信任的態度，我今天也決不憑空打斷你的思緒。現在這黃昏已帶來些微風，要不要一同到倫敦郊外去舒暢一下呢？」

我聽了這話，很是快活，就和他一同離開我們狹小的起居室。我們兩人在街上走著，閒遊了三個小時。街上的馬車熙來攘往，看上去也很舒暢。福爾摩斯走著，很高興的與我閒談。傍晚的景物，眞令人感到舒暢。

我們回到貝克街的時候，已快十點鐘了。那時有一輛四輪轎式馬車正在我們寓所的門前。福爾摩斯說道：「唉，我猜測這是一位醫生的馬車，而那醫生剛行醫不久，但生意興隆。他這時前來，我想一定有重要的事要和我們商議。我們快些進去吧。」

我深知福爾摩斯的推斷力，是十分準確的。這時我瞧見車中有一個柳木的醫箱，從那懸掛著的車燈下，見箱裡的醫生用具都很精美而新穎。我抬頭看寓屋的窗戶，從那燈光中透出一個人影，便知道那人正等著我們。因此忙跟著福爾摩斯走進我們的寓所。

一個瘦小而面容蒼白的人，正坐在火爐前

面，他見了我們，就從椅中起身相迎。他的年齡最多只有三十三、四歲，但他的面容枯瘦蒼老，似乎告訴我們，他的生活很顛沛，已絲毫沒有年少的氣概了。他的外套和裡衣很樸素，都是深黑色，領結也不很鮮豔。他的神情看去很像是個美術家。

福爾摩斯很和悅地說道：「醫生，晚安。還好只讓你在這裡等候了幾分鐘。我很樂意招待你。」

「你可是問過我的車夫，因此知道我的行蹤嗎？」

「不，我瞧檯上的蠟燭只燒去一些，那就告訴我你來的時間。你現在請坐，把你要委託我的事情，詳細告訴我。」

我們的客人說道：「我的名字叫做柏西・屈凡倫，住在布魯克街四百零三號。」

我問道：「你可是曾寫過一本神經痲痺的醫書？」

他聽見我知道他的著作，十分愉快。

他道：「我的著作很粗陋。發行的書商常向我說那本書銷路不好，我想很少人知道。但你卻讀過這書，你可也是醫界中人？」我道：「我是一個退職的軍醫。」他道：「我對神經病學很有研究，因此，我想專攻此科。但是我個人假使要達到我的志願，第一步就有困難。歇洛克・福爾摩斯先生，我和你的時間都很寶貴，現在且把這個問題拋開了再說。這幾天我們布魯克街寓所裡很不安，今天夜裡情況更惡劣。因此，我才急忙跑來，竭誠地向你求教。」

福爾摩斯從他嘴裡拔出了煙斗，坐下說道：「你的事情，我很願意接受。不過請你把那件事詳細向我陳述，不要有任何隱瞞。」

屈凡倫醫生道：「我陳述的這些事情說來眞慚愧。但是近日的情形，實在怪得很難理解。我告訴你這事以前，必須把我自身行醫的原委完全向你陳述。而我也會先告訴你們我的學校生活——我是倫敦大學的學生。我想我自己說我的優點，你們該不會笑我。那時我在學校因勤勉力學，常得到師長們的讚譽。我畢業之後，就進了皇家大學附屬醫院擔任一個不甚重要的醫職。我練習久了，對神經痲痺的病症就很有心得，因此寫了一本神經痲痺研究的書，那就是你的朋友方才提起的。我因這書得到布魯克．平克敦奬章。那時得到這項榮譽，自以爲前程遠大，很可幹一番事業呢。不過我要發展我的醫務卻有一樁極大的困難，你應當也知道，在康凡廸熹區那十二條街中行醫，第一得先要有豪華的診所和各種新穎的設備，才能吸引人們前來求醫。但是這個排場，至少要我十年的積蓄才能達到。因此我對我的境遇十分感傷。不過有一個新的發展，卻出乎意料地突然降臨，使我終能獨樹一幟。那幫助我的紳士的名字叫伯萊星敦，以前和我毫不認識。他在一天早上突然走進我的屋內，很鄭重地與我商議事情。他道：『你就是新得奬章的柏西．屈凡倫醫生嗎？』我向他鞠了個躬。他繼續說道：『請你明白答覆我。你有這般精湛的醫術，若把你的才學應用出來，一定可成爲一個很有名望的醫生。這事你可明白？』我聽了他這突然的問話，本沒有聯想到他要幫助我，只覺得有些奇怪罷了。我道：『這固然是我的願望，但我卻有一些缺憾。』『你有壞習慣嗎？你有酗酒的嗜好嗎？』我叫道：『先生，沒有！』他道：『知道了！我完全明白了。但我問你，爲什麼

我聽了他的話，很是驚訝。

你有這樣的學問，卻不想發展呢？』我聳了聳雙肩。他突然說道：『來，來！這是老故事了。你的學問淵博，但你的經濟很拮据。假使我替你在布魯克街中租了一間診所，你可願意試一試你的本領呢？』我聽了他的話，很是驚訝。他叫道：『啊！這事是爲了我自己，並不是完全爲你。我且把我的意見明白告訴你，你也一定能使我十分滿意的。我有幾千鎊的存款。想做點投資，以便賺些利息。』我忙問道：『你究竟有什麼用意呢？』『好，那也不過和別的投機事業一樣，想多賺些錢。不過比較上卻覺得穩固些罷了。』『那麼，我做些什麼事呢？』『我自然會告訴你的。我替你租了房屋，供給你一切，並且還代雇僕役供你差遣。而你應做的職務只是坐在診所的椅子中幫人治病。不過你所得的醫費，我要取全數的四分之三，餘下的一分歸你收用。』福爾摩斯先生，伯萊星敦和我所訂的條件的確很奇怪。但我因那時很窘迫，所以也就樂意接受了。我們訂了契約，我就在那年的報喜節搬進那屋中去，開始執業。他也來和我同居，成爲一個住院的病人，因他犯了心臟衰弱症，本也需醫生的調護的。他住在二樓，共佔了兩個房間，一間是起居室，一間是他的寢室。他是個少有朋友的人，成日住在屋裡不常出外。他的作息很不固定，但他卻有一個常律，就是每晚他總在一定的時間中到我的辦公室裡檢查帳目。把我所得的錢，每一幾尼（金幣）放下六先令三便士給我，其餘的就拿走，藏在他房內的一個堅固箱中。坦白說，他對於扶助我醫務之舉，眞不用反悔。因爲我在醫院中已薄有虛名，故而執業以來，生意很興隆。這一二年來，我已幫他成了一個富翁。因此我們相處的很融洽，福爾摩斯先生，這就是我和伯萊星敦先生相識的經過情形。但我今夜來求教你的，卻另有原因。數星期前，伯萊星敦先生忽下樓看我，他的態度很驚恐。他向我說，近來巷口曾發生盜案，我們必須嚴密地防禦。我那時很不經意地應著。不過我們還是小心門戶，以爲防範。但在這個星期裡，他卻十分驚恐，幾乎要坐立不安，並且時常探望窗外，就是他以前午餐前的散步，這時也不敢再出去。瞧他那種惶急的樣子，似乎他防備的是其他的重要事情，或是仇人。但是我去問他，究竟因爲什麼緣故，他卻又不肯告訴我。因此，我也就不去管他了。隔了不久，他的恐懼逐漸減退，慢慢地回復了原狀。可是現在因爲有新的事情，又突然改了他的常態。是怎麼回事呢？我現在來告訴你們。在兩天之前，我接到一封信，信上沒有住址和日期。那信寫著：

『有一個僑居英國的俄羅斯貴族，要到柏西．屈凡倫醫生那裡看病。因爲他常常犯著痲痺的毛病，聽說屈凡倫醫生是一個擅治痲痺的人，所以他要在明天晚上六點鐘時，請屈凡倫醫生在診所裡等他前來求診。』這封信引起了我很大的快樂，因爲我又有大顯身手的機會了。第二天，我在醫室中等候他們。到了約定的時間，那個病人就走進了我的醫室。他是一個年老的人，他的態度和普通人一樣——不像是俄國的貴族。我看見伴他來的還有一個高大的青年，那人的面容黝黑而猙獰，看上去和赫邱力斯一般可怕。他以手扶著那個老人，很謹慎地攙他坐到椅子中，似乎一定要盡到保護的責任。他說著輕低而生硬的英語，向我說道：『醫生，請你原諒我們冒昧前來。這病人是我的父親，要請你竭力診視，使他有健全的希望。』我見他那麼孝順，很是感動，因此問道：『你可要在病人旁邊等候？』他發出驚恐的聲音，呼道：『不行，假使我親眼瞧見我父親就診時受苦之狀，我會受不了的。所以我要離開這裡，在外面的候診室裡等候，讓你可專心診視我父親的疾病。』他說完這話就立刻出去。我也就坐下來診察那老者的疾病。我詢問老者的痛苦，他卻很愚拙，所答的話往往不是我所問。我想他必是初到這裡，不大懂我們的語言的緣故，因此我診察了一會，就坐下寫他所答覆我的問句。但就在寫的當兒，他忽然不語，我抬頭一瞧，見他已僵坐椅中，瞪大了眼呆瞧著我。他的臉龐泛成了死灰，似乎舊病又復發了。我最初的感覺，像我方才說過的，很同情他。但之後，我卻很緊張，慌忙起身診他的脈，察他的體溫，但他並沒有任何異常。因此，我更加詫異了。以前我診治痲痺的疾病都用烷基亞硝酸，常很有效。故而我這時想給那病人先服了這藥再說。就急忙下樓，到我的藥室裡。當我下樓的時候，那就診的病人，仍呆坐在椅中，我找到了這藥——大約有五分鐘左右，忙又回到室中。但我的診療室裡卻已空無一人，那個病人已不知那裡去了！我又吃了一驚，忙奔進候診室裡。他的兒子也已不知去向了。那房門虛掩著沒有關上。我那引導病人的僕役是新雇用的。他很不靈敏，平日他總等在樓下，等我按了鈴，他才進來領病人出去。這天他對於那病人的離開，更是一點也不知曉，我因此更是驚訝。但當伯萊星敦先生散步回來的時候，我並沒有把這事告訴他，因爲我最近很少和他交談，不願多言取厭。想不會再見到那俄羅斯人和他的兒子了。但我又怎能忘去這一樁怪事呢？因爲在今天晚上，和上次同一個時間裡，他們倆又走進我的辦公室來了。他們那種樣子，和以前樣子完全一樣。我的病人說道；『醫生，前天我的離開，一定使你感到詫異。眞是十分抱歉。』我道：『我對於你的離去，的確很覺奇怪。』他道：『這事眞的很抱歉。那時我因舊病復發，我的知覺很是模糊。當你出去之後，我也起身出去，模模糊糊地走到街上了。』那兒子說道：『我看見我父親走出了候診室的門，以爲診治的手續已經完畢了。因此我就扶著他一同回去。等我明白了緣由，已經來不及再回來了。』我笑了一笑，說道：『好了，這也沒有什麼妨礙，請你們不必介意。先生，現在請你仍舊到候診室裡等候，讓我把這診治的手續繼續完成。』我替那年老的貴族診治開藥方，大約費了半個鐘頭，方才診治完畢。後來我看著他靠在他兒子的臂膀裡一同回去。我曾告訴你，伯萊星敦先生每天在這時候都有散步的習慣。在那病人離開後不久，他就由外面回來，直接上樓。但一會兒我又聽見他奔下樓來，好似瘋子一般，暴怒地奔入我的辦公室。他呼道：『誰去過我房內？』我道：『沒有人。』他急道：『說謊。來，來，和我一同去看。』我聽他的聲音很是粗暴，態度也十分驚恐。我就跟著他走上樓去。他指著地上雜亂的腳印給我看。他呼道：『你瞧，這許多腳印，豈是我的腳印呢？』這許多腳印果然比他的來得大，並且泥痕還新，一定是方才印上去的。你知道今天曾下過大雨，除了我的病人，又沒有別的人進來。那麼，進他室裡的人必定就是等在候診室裡的那個形貌兇惡的少年了。因爲那時我正全神貫注地在診視病人，當然無暇他顧，他就悄悄地跑進了這間房間裡。不過室內的東西卻沒有任何損失。伯萊星敦先生見了這情形，比我還要驚急。因爲這個緣故，我們不得不向人乞助了。他坐在扶手椅中，頻頻地歎息，我請他準備防禦的計畫，他就請我到這裡來，向你們求教。現在時間已晚，請你們快和我一同前去吧。我想這奇怪的事，在你的眼中應該很簡單，只需一去勘察，就能完全明白了。我想你絕對能夠幫助這害怕的可憐人的。」

歇洛克・福爾摩斯聽了他向我們敍述的冗長故事，臉上雖顯出沒有感情的樣子，但是他的眼睛卻在他所吐的煙霧中灼灼閃動，露出很注意的樣子。他等那醫生的話說完之後，就不發一語的從椅子上站起身來。他在檯上拿了他的帽子，順手把我的帽子遞給我，忙和屈凡倫醫生一同外出。我們出門以後，大約過了一刻鐘，已到布魯克街。我們的馬車在西口一座屋子門前停下，就有一個矮小的僕人出來迎接我們。我們跟著進去，走到一座鋪著毡毯的扶梯邊，就一同走上樓去。

但我們剛走到扶梯的一半，樓上的燈光忽然熄滅，有一個嚴厲的聲音向我們呼喝。

那呼喝的聲音道：「我有手槍。假使你們再走上一步，我就要開槍了。」

屈凡倫醫生叫道：「伯萊星敦先生，這是你叫我請來的人啊。」

那聲音滿含著得救的希望，說道：「醫生，是你們嗎？那兩位先生可就是我急著要聘請的人呢？」

我們就一同很響亮地答覆了他的問句。

最後，那聲音說道：「是了，是了，完全沒錯。我這樣對待你們，眞是很覺抱歉。現在你們快上來吧。」

他說著就打開樓上的電燈。我們才瞧見一個人正站在梯頂上。他的身材很胖，態度也很粗暴，和他的聲音相仿。他那種侷促不安的樣子，一望就可明瞭。他臉上的皮膚都皺疊下垂，知道他以前必定還更肥胖，現在已經瘦多了。這時他的臉色很憂鬱，黃色的頭髮都向上豎著，似乎代表他的性情暴躁。他手中握著一把手槍，見我們上了樓梯，才藏入他的衣袋。

他說道：「福爾摩斯先生，晚安。我十分高興你們肯來。沒有一個人比我更需要你的幫助了。我的事情，屈凡倫醫生已經告訴你了嗎？」

福爾摩斯道：「我已完全知道了。伯萊星敦先生，那兩個人爲什麼要走進你的房裡呢？」

那個病人露出很不安的樣子，說道：「唉，唉，福爾摩斯先生，這件事很難啓口。你能夠原諒我不答覆嗎？」「你的意思是說你不知道嗎？」「請你們進來吧。你進來一看，就可明白我所以會害怕的緣故了。」

他就領我們走進他廣大而華麗的寢室。

他指著在他床頭那個巨大黑色的鐵箱，說道：「你瞧見了這個鐵箱嗎？福爾摩斯先生，我靠著屈凡倫醫生才能夠這樣富足。但是我不願把錢存在銀行，因此我賴以生活的錢就完全藏在這鐵箱裡，由我自己看管。福爾摩斯先生，你當也能明白，現在忽然有人闖進我臥室裡來，我自然要急著防禦了。」

福爾摩斯看著伯萊星敦的臉，等他的話說完以後，搖了搖他的頭。他說道：「假使你不誠實地向我報告，我就不能幫助你了。」「但是，我沒有別的事情可以告訴你了。」

福爾摩斯很不悅地掉轉身去，說道：「屈凡倫醫生，晚安。」伯萊星敦以失望的聲音喚道：「你眞的不能幫助我嗎？」

「先生，我現在坦白告訴你。一個人說話，總要誠實才是。」

一分鐘後，我們已走出那間屋子。我們穿過牛津街，我伴著我的朋友走到了亨利街上。

最後，他道：「華生，我叫你出外，卻碰到這個不足掛齒的笨蛋，眞是十分抱歉。但這案的確很奇怪！」我答道：「但我對這案子並不明白。」「很明顯的，有兩個人——或許不止這兩人，但由此二人出面罷了。他們一直跟蹤伯萊星敦，我知道第一次和第二次，那個矯健的少年，必都趁著那老人絆住那醫生診治的當兒，走進伯萊星敦的臥室裡去的。」「但那老人的麻痺病呢？」「華生，這是假裝的把戲。麻痺病最容易假裝。我以前也曾親自嘗試過的。」「那麼，他們做些什麼呢？」「他們所以一定要在晚上到那裡去求醫，是因爲那時候診室裡已沒有其他的病人，他們就可爲所欲爲了。且那時恰好是伯萊星敦日常出外散步的時間，他們就不會碰到他。那兩人所以前來是爲了尋仇，並不含任何盜劫的意味。我從伯萊星敦的眼光中知道，他對這事必完全知曉，不過他卻不肯誠實地告訴我，卻似謊言相欺。我對這樣的人，不屑幫助，就讓他一人去抵禦吧。但是在明天的早上，必定有驚人的發展。」

我道：「你的話固然不錯，但是怎知天下的事情沒有出人意外的呢。那俄羅斯人和他兒子就診的事，都是屈凡倫醫生告訴我們的。怎知那些不是屈凡倫醫生自己有了貪念，走進伯萊星敦房去的託詞呢。」

我瞧見福爾摩斯聽了我話露出微笑，似乎贊成我的思想的深邃。

他道：「我親愛的老友，我起初也有這種假設，但是我瞧見屈凡倫醫生的腳印和在扶梯上少年的足跡截然不同。我來告訴你，那腳印的鞋尖，略呈方形，既不像伯萊星敦的腳印，比那醫生的腳印更要長出一又三分之一吋。這樣，你當可知道一定有別的人跟蹤他哩。現在我們快去睡吧。明天早上，我們必定能夠聽到布魯克街上的驚耗了。」

次日早上七點半時，太陽的光方才照進我的臥室，歇洛克．福爾摩斯已急忙地進來。我見他站在我的榻前，身上已穿著他的長大衣。

他道：「華生，有輛車已在門口等候我們了。」我道：「什麼事呢？」「布魯克街的兇案已發生了。」「你已得到了什麼消息呢？」

他打開百頁窗，一邊說道：「現在雖還不知其詳，但是你看這個——」他取出一張記事簿上扯下的短信，寫著：「看在上帝的分上，請立刻就來。上午。」他又道：「那是我們的那個醫生朋友以鉛筆寫好寄給我的。事情眞的很嚴重了。我親愛的老友，快點起來，不要讓人久等了。」

一刻鐘後，我們已到那出事地點的屋前。那少年醫生急忙奔出來迎接我們，他的臉色滿現著驚怖。搔著他的手，叫道：「唉，竟出了這種事情！」「究竟怎樣呢？」「伯萊星敦已經自縊死了。」福爾摩斯嘆了口氣。「眞的，他已在昨夜上吊了。」我們說著，就跟著那醫生走進了他的候診室。

他叫道：「我見出了這種怪事。急得不知怎麼辦。我已去找警察，現在他們正在樓上查驗呢。」「你在什麼時候才曉得這事的呢？」「他平日每天早上必定要喝茶。今天七點鐘時，我們的女僕捧茶進去，見他已高懸在房中央。那吊著他的鉤子，就是以前用來掛油燈用的。想必他昨天晚上，站到那錢箱上面，以繩繞在頸中，然後跳下箱子，懸空自縊死的。」

福爾摩斯站著，默忖了好一會兒。

最後，他才說道：「請你允許我到樓上去實地調查一下。」於是，我們兩個就跟著醫生一同上樓。

我們走進了死者的臥室，我看見伯萊星敦的屍體還在空中搖蕩，他頭頸裡束著繩索，細得像鷄頸一般。但是身體的其他部位仍很胖碩，看上去更覺可怕。他身上還穿著長的睡袍，而他臃腫的腳踝和腳卻露在外面。在他的屍體旁邊，站著一個精敏的警察長，正在一本袖珍簿上忙作紀錄。

他瞧見了我的朋友，招呼道：「啊，福爾摩斯先生，我很歡迎你來啊。」

福爾摩斯答道：「藍勒，早安。你不嫌我突然前來，我很高興。但你可已得到這事的線索了？」「是的，我對於這案已約略知道一些了。」「那麼，你可有什麼見解呢？」「我想那人必因驚怖過度才有自殺的舉動。你看那床上還有他睡過的痕跡。他死的時間，當能推想——大約在今天早上五點鐘時。他上吊的時候，時間很充裕，可見他考慮很久了。」

我道：「那死者的肌肉很僵硬，我敢斷定他已死了三小時多。」

福爾摩斯問道：「你在房裡可曾尋到什麼奇怪的東西呢？」

「我在檯上曾尋到一個螺旋鑽，和幾個螺旋釘。並且我還發現死者昨夜曾吸過很多的雪茄。因爲我方才曾找到四個雪茄的煙蒂。」

福爾摩斯說道：「啊，你有找到他的雪茄煙嘴嗎？」「不，我沒有瞧見。」「那麼，他的雪茄煙盒子呢？」「有的，我已在他的外衣袋裡搜到了。」

福爾摩斯把那盒子打開，盒裡只剩一根雪茄，他取出來嗅了嗅。

他道：「啊！這是很好的哈瓦那雪茄。而其他雪茄則是荷蘭從其東印度殖民地所進口的。你應當知道，那種煙很細長，外面還包著稻草，和這枝煙完全不同。」說著，他取過四個剩的煙蒂，用他的放大鏡，細細瞧著。

福爾摩斯把盒子打開，取出雪茄嗅了一嗅。

他道：「吸這二枝煙的人，是裝著煙嘴吸的；但那二枝卻是咬在口中吸的，並且這二枝的煙蒂，是用不利的小刀切去的，那二枝卻是用牙齒咬去的。藍勒先生，這並不是自殺，而是一件很狡猾的謀殺案。」那警察長叫道：「決無此理的。」他道：「你爲什麼能說不是謀殺案呢？」警察長道：「那人爲什麼不用別的方法殺死這人，竟要這樣吊死他呢？」他道：「這就是我們應當要研究的。」「那麼，他們怎樣進來的呢？」「是從前門進來的。」「但今天早上，那裡還關著呢？」「那是他們離開後，才又關上的。」「你怎樣知道的呢？」「我從那些跡象知道的。現在請你稍等一會，我要在這裡再找一些證據。」

他就走到門口，勘察門上的鎖孔，接著他就把塞在門上鎖孔裡的鑰匙拔出來瞧了一瞧。然後再察驗了床舖、爐架、椅子、地毯以及屍體，和懸掛他的繩索。最後他才把繩弄斷，我就和警察長幫他把屍體放下，移到一個榻上。

他問道：「這繩從那裡來的？」

屈凡倫醫生從床上取出一大束繩子來，說道：「是從這束繩上割下的。因爲他很怕火災，所以預備了這捆繩子，以便若不幸發生火災時，就算是樓梯燒斷了，他也可以從窗戶緣繩而下。」

福爾摩斯想了一會，說道：「這繩已足夠幫他們殺人了。現在我對於這事已可完全明瞭。今天下午，我把這案的起因探明後，就可把這裡面的原委告訴你們。現在我且把這爐架上伯萊星敦的照片取去。因這照片對我的偵探工作很有幫助呢。」

醫生叫道：「但你沒有告訴我這是怎麼回事呀！」

福爾摩斯道：「唉，這案子並不十分曲折，只不過有三個人一同幹成這件事罷了，一個是少年，一個是老人，還有第三個人的身分我還不知道。第一個和第二個，我已知道就是假裝俄羅斯貴族和他兒子的那兩人。但他們能進來，可見還有一個是住在這屋裡的同黨。他們是被那人放進來的，醫生，我想這同黨就是你新雇的僕人。」

屈凡倫醫生道：「那僕人在今天早上突然失蹤，我已差人出外尋找了。」

福爾摩斯聳了聳他的雙肩。

他道：「他在這件案裡，也佔著重要的位置。那三個人走上樓梯的時候，是踮著腳尖走路的。第一個是那老年人，第二個是那個少年，最後才是那個不知身分的人……」我恭維他道：「我親愛的福爾摩斯。」

「這裡的腳印很多，但我卻仍能辨別昨夜他們的腳印。他們進來的時候，伯萊星敦的房門已經鎖上，他們就用一根銅絲代替鑰匙，把房門打開。你們來看，那裡還有很顯明的痕跡，就算沒有放大鏡也可以瞧見。他們走進房裡，第一步，就是把伯萊星敦先生的嘴塞住。那時他正酣睡著，或許他已驚醒，但是因爲突然間被他們擒住，不能發出呼救的聲音。而且這裡的牆壁很厚，也不能聽見他呼救的聲音。後來他們又坐著商量處置他的方法。那些雪茄煙蒂告訴我們，他們商量的時間必定很久。那老人坐在這張柳木的扶手椅中，他是用煙嘴吸雪茄的。那少年坐得稍微遠些，他曾把煙灰彈在那字簍旁。第三個人，則不停地在室內走來走去。這是我看到他們的腳印所發現的。那時我想伯萊星敦大概正僵坐在床上。最後，他們商定了把伯萊星敦吊死的計劃。我知道他們預定的手續很周密。因此他們來時，曾帶了幾個螺絲釘，還有那個螺旋鑽，就是要裝置絞架用來吊死人的。但是因爲這裡有掛燈的鉤子，爲了便利起見才改定計劃的。他們把這事料理好後，就一同出去，然後由你的僕人把門鎖上。」

我們聽了他這一番話，昨夜的事情就完全

明白了，但我們還覺得有些不解的地方。可見我們的智力和他比起來，眞是相去甚遠了。之後警察長很得意的出去，福爾摩斯就和我一同回貝克街吃早餐。

我們早餐過後，他出外的時候，向我說道：「我大約在三點鐘回來，那時警察長和醫生也要同時前來。我希望在這段時間裡，能把這案的原因完全偵探明白。」

我們的二個客人在那約定的時間來了。

但我的朋友卻到了四點鐘時才回寓所。那時他的樣子很快活，我一望就能看出他這次出外已完全探明案情了。他問道：「警察長，消息怎樣了？」「先生，我們已把那僕人捉住。」「很好，我也偵探到那幾個兇徒了。」我們三人都呼道：「你已探到他們了嗎！」「是的，我已探知他們的底細。我把伯萊星敦的照片，給警局裡的人看，才知道他的仇人共有三個，他們的名字叫畢特爾、墨華特和馬法德。」

那警察長叫道：「這是搶劫華新頓銀行的強盜啊。」福爾摩斯答道：「是的。」「那麼，伯萊星敦一定就是瑟登了？」福爾摩斯道：「不錯。」那警察長道：「那麼，這事就完全明白了。」但我和屈凡倫互相看著，卻都莫名其妙。

福爾摩斯道：「你應該還記得華新頓銀行的大劫案。那案中的強盜共有五人，第五人叫做卡德羅特。他們殺死了看守員杜平，搶去七千金鎊，那是一八七五年的事情。但是案發以後都被捕了。那時伯萊星敦還叫做瑟登，在他們五個人中最狡猾。他出賣了朋友，因此得到釋放，而卡德羅特就判了死刑，其餘三個人也判了十五年的監禁。你們可以猜想得到，他們在牢獄中一定預備報仇，只要他們一出獄，就要把他的仇敵殺死。因此，當他們一出獄，恢復自由之後，就決定尋找仇敵。他們假裝成病人，兩次到你那裡，直到第三次，方能達到他們復仇的志願。屈凡倫醫生，你對於我的解釋，還有不明白嗎？」

醫生說道：「你的解釋很清楚，我已完全知道了。之前這化名的伯萊星敦所以突然改變態度，想必那時他在報紙上讀到了那三人被釋放的消息，知道他們要來報仇的緣故。」

「的確，他所說的防禦盜賊，全是他的謊話。」

「但他見了你，爲什麼不把這件事告訴你呢？」

「我親愛的先生，想必因爲他的仇敵監伺地非常緊迫，因此他不願把眞相告訴別人。而且他以前所做的事情也很可恥，所以自然不願把他的事情告訴人了。他的死雖不足惜，但他這幾年來深居簡出，還算安分，原想在英國法律保護下度過他的殘年。警察長，現在法律對這人的效力已失。但你若逮捕那幾個犯人，也算是公道，我們實不能讓他們逍遙法外的。」

自從這一次布魯克街的年輕醫生和他病人的糾葛，經福爾摩斯解釋之後，就沒有任何消息了。那三個兇徒始終沒有被警察捉住。幾年前，曾傳聞南納克黎奈號輪船在蘇格蘭海濱撞沈的事。船上的乘客全部遇難，據說那幾個兇手也在其內。不過這消息已跟著那破碎的船一同沉沒，布魯克街的慘案便成爲懸案。直到現在，各種報紙仍沒有刊登過詳細的記載。

海軍密約（原名 The Naval Treaty）

在我結婚那年的七月中，我的朋友歇洛克·福爾摩斯竟接連破獲了三件案子。這三件案子，在我日記中的標題如下：「第二血跡」、「海軍密約」和「退休的船主」。但這三案中的第一案關係重大，因爲還牽涉到英國許多重要的貴族，所以至今仍不能向公衆發表。在福爾摩斯的許多探案中，沒有一件比這一案更足以顯出他分析方法的厲害，並讓與他聯手的人印象深刻。我至今仍把他和那兩個專家會面時的談話，謹慎保存著。這兩個專家，一個是巴黎偵探蒙西台，還有一個是著名的德國犯罪學家衛爾班。他們倆也曾在這件案子上費過好多心思，但是都走錯了路。然而這件案子，卻必須等到下一個世紀才能發表。我現在準備把第二案披露出來。此案牽涉到國際關係，過程迷離，讓人對這案子印象特別深刻。

當我還在學校讀書的時候，有一個同學叫鮑西·費爾普，他和我同年，並和我十分投緣。他是一個很聰明的青年，在學校考試的時候，總名列前茅，因此他所得的獎非常的多。他畢業之後，就進入劍橋大學。我還記得在學校的時候，他是我們之中氣燄最盛。我們知道他的舅舅就是非常有權力的華特赫司特公爵，因此，學校中的教員都對他十分禮遇。但同學們都很嫉妒，常常欺負他以洩憤。不過這些事情，現在早已不留影蹤了。後來我聽說他靠著他特殊的才幹，和他舅父的引薦，進了外交部，生活很優渥。但這時他忽寄給我一封很怪異的信，發信的地址是華根·布來巴別墅。

「我親愛的華生：我想你假使凝神靜想，想必還記得你的老同學費爾普。我自從離開學校，已好久沒和你通信了。你也許已知道我得到了我的舅父的引薦，進了外交部。可是當我的事業正要發展時，厄運卻突然降臨。

那事的怪異，一時眞不容易筆述。請你到我這裡來，我才能把那事的詳情向你陳述。我有腦疾，已昏迷了九個星期，現在方才淸醒一些。你能約你的朋友福爾摩斯先生和你一同來嗎？我素來佩服他的偵探本領，我想假使把我的事情委託他勘察，一定可得到一些希望的。你看了這信，就立刻邀他一同前來。現在我時時刻刻都不能安心，因爲我身處在恐懼之中，我的頭腦皇皇無定。現在我很疲倦了，恕我不能再說。你一看這信的筆跡並不是我的親筆，就知道我是口述的，因爲我眞的太虛弱了！

你的老同學鮑西·費爾普上。」

我讀完這信，覺得有些詫異。因爲那信中急著要福爾摩斯同去，想必有重大的案件，正等他前去解決，措詞才會這般急迫。我知道福爾摩斯聽了這信，必定會樂意前往的。我因爲舊時的友誼，不能不前去一次。我的妻子也勸我不要失卻這個機會。因此，我吃過了早餐，就急忙回到我貝克街的老屋。

福爾摩斯正穿著睡衣，坐在桌旁，很專注地做化學實驗。一個波斯式的玻璃大杯盛滿著銀色的液體，杯下正有酒精燈燃燒著。當我走進室內的時候，我的朋友仍專心地工作。我見他這樣，就站在一隻扶手椅旁等候。他又放些東西進去，然後才把那液體倒入別的器具中，來往傾注。一會兒，才又注入一支注射管中，

福爾摩斯很專注地作化學實驗

然後打開桌子的抽屜，以右手取出一張藍色的試驗紙來。

他道：「華生，你來得正好。假使這張紙仍是藍色的，就表示這液體沒有毒。如果泛成紅色，那就會致命了。」他說時就把液體注在紙上，那張紙頓時泛成深紫。他叫道：「沒錯，果不出我的所料。華生，請你再等一會兒，我就可以完成了。你若要煙葉，在波斯拖鞋裡面。」他很快地到他的寫字桌上，寫了張電報，然後按鈴交給侍僕。接著，他就坐到扶手椅中，用手圍抱著他曲起的雙膝，面向著我。

他道：「那是一件謀殺案。我想你現在前來，一定是又要介紹什麼案子給我了。華生，你眞是一個儲藏罪案的箱子。究竟是什麼案件呀？」

我把那信箋遞給了他。他展開後急忙地讀了一遍。仍把信箋還給我，說道：「這信中沒有向我們說明究竟是什麼案件呢？」「那一定是很嚴重的事情。」他道：「這信的字跡很值得注意。」我道：「這不是他的親筆。」「是的，那是一個女子寫的。」我叫道：「一定是男子寫的！」「不，是一個女子，且是一個絕頂聰敏的人。你看那筆跡如此靈活，不是男子所能企及的。而且她和那案件也很有關係。假使你不信，我們可以立刻到華根去，就可見到這代筆的女子了。」

我們到滑鐵盧車站時，火車正要開。我們竭力追上了車，大約一小時後，我們已到了叢樹四繞的華根車站了。布來巴別墅是全村中最大的宅子。我們步行數分鐘，就到了那裡。我們遞上名片之後，就被引進一間廣大的會客室。隔了一會，有個身體高大的男子跟著侍役進來招呼我們。他的年齡大約在三十和四十之間，皮膚微泛著赭色，雙眸很銳利。

他和我們握了握手，說道：「我十分歡迎你們，可憐的鮑西已盼望你們一個早上了。他的父母叫我來接待你們，請你們竭力幫助他們才好。」

福爾摩斯答道：「我們並不知道案情，還不能答應。但我猜度你似乎不是他們的親屬。」

我們瞧著他，見他似乎露出驚訝的臉色，他的目光隨及移開看著地毯。

他道：「你們一定是看見我『J．H．』的名片吧？我的名字叫約瑟夫．哈里遜，是鮑西未婚妻安妮的哥哥。我想假使他不患著病，這時定早已成婚了。這兩個月裡，我的妹妹成天在他的房裡看護他，不曾離開過。不過我們還是快些進去，他急著見你們呢。」

他就領我們出了會客室從廊下走去，一同進了一間彷彿是起居室的臥室。室中四周都擺著花卉，充滿著氤氳的香氣。一個滿面病容的少年正斜臥在一扇開著的窗前的沙發中。外面是一個花圃，圃裡的樹木映在晴朗的天空中，非常蒼翠動人。在他的身旁坐著一個少女，她見我們進去，就站起身來。

她問道：「鮑西，我需要離開嗎？」

他握住了她的手，回頭向我道：「華生，你還好嗎？我見你留著鬍鬚，幾乎認不出是你。這位可就是你的朋友歇洛克・福爾摩斯先生？」

我和他寒喧了一會，我們倆就都坐下。這時那高大的男子已走出室去。但他的妹妹被我的老友握著手，還留在室裡。她是個很美麗的女郎，不過身高略嫌矮些，膚色很白皙，有一雙大而靈活的眼睛，蓬鬆的黑髮覆蓋著額頭，越顯得她凝脂般的臉龐嬌媚絕倫。從她的面貌上看起來，似乎是個聰慧的女郎。

他從沙發中站起身來，說道：「我不敢浪費你的光陰。現在我把所遇的事向你陳述。福爾摩斯先生，我一向是一個快樂的人，現在這件足以讓我喪命的奇禍突然發生，我眞不知該怎麼辦。我想華生已告訴你了，我靠著我的舅父華特赫司特公爵的力量，在外交部裡年年升遷。不久，我的舅父做了外交大臣，就讓我參與祕密的軍機。我也竭盡心力完成他所吩咐的事情。因此，他也就越加器重我的辦事能力了。大約在十個星期之前——那天是五月二十三日，他叫我進去他個人的辦公室，然後，把一件重要的密約拿給我辦。他從他的寫字桌裡取出一卷灰色紙，向我說道：『這是英國和意大利將訂定的密約正本，現在要謄錄一份副本。這事在外交界裡已露出一些風聲，只因沒有確切的憑據，還懸宕著不能決定。可是法蘭西和俄羅斯的公使卻已深信不疑，聽說已出了重價預備買這密約。因此，你做這事必須十分謹愼，不可洩漏任何消息。你的辦公室裡可有保險櫃？』『舅父，有的。』『那麼，你拿去把它鎖在保險櫃裡。待會兒，你等別人走後，就謄錄一份。抄好之後，你可藏在櫃裡，等明天早晨，一併給我。』我就取起那紙……」

福爾摩斯道：「請恕我打岔。你們談話時，室裡沒有其他人嗎？」「沒有。」「那房間可寬大？」「三十英呎見方。」「你們可是站在房間的中央？」「是的。」「那麼，說話聲音可輕微呢？」「我舅父的聲音向來就很輕微，我的說話聲還稍大些。」福爾摩斯閉著他的雙眼，說道：「謝謝你，現在請再說下去吧。」

「我照他叮囑的話去做，等其他人回去。最後，只有一個人還在我的房裡，他叫做查爾斯・葛羅德，他還有些文件正在謄錄。因此，我就趁這當兒，出外用餐，等到我吃完飯回來，他也已回去。我就急忙開始做我的工作。因爲我知道約瑟夫・哈里遜那時正在倫敦，準備乘十一點鐘的夜車回華根。我急忙抄，預備完畢後和他一同回去。那時，我就取出那張密約著手抄錄，我一看那密約中的事情，才知我舅父告訴我關係重大的話果眞不虛。那是大不列顚海軍和意大利暗地訂的密約——可和地中海艦隊互相聯絡，擴展我們的海軍權，就可和法蘭西的海軍對抗了。在那密約的後面有兩個高級官員親筆簽字，我看了一遍，就放在檯上，著手抄錄。那契約的全文很長，是法文寫的，一共有二十六節。我匆匆寫到九點鐘時，卻只抄完九節。那時已晚，我知已不能乘火車回去了，並且此時我因整日工作，身體也很疲乏，所以就按電鈴想喚侍者拿一杯咖啡來振振精神。在我們外交部裡，本有個侍者備値夜的人呼喚。他住在扶梯下的一個小房間裡，我因此就按電鈴喚他前來。但我按鈴之後，忽有一個身材高大，臉色深黑的老婦人應聲進來。我覺得很奇怪，她見我懷疑的表情，就說她是僕役的妻子，問我喚她做些什麼。我就吩咐她去預備咖啡。

接著我又抄了兩節，但這時我越覺疲憊，就站起身來，在室中往來踱著，舒展筋骨。可是我的咖啡卻還不來，我很覺不耐，怎麼這樣慢呢？所以我就開了房門，從長廊走下樓梯。我出去的時候，我辦公室裡的燈光，直照到那扶梯的頂上。那是一條彎曲的扶梯，扶梯的底下，就是那僕役的小房間了，但在那扶梯的中央有一塊小小的平台，那裡另外有一個長廊，通往右邊的樓梯，這第二條小梯，直通側門，本爲便利僕役們往來起見的。但有時書記們從查爾士街進來時也常走這條捷徑。這就是那個地方的草圖。」

歇洛克・福爾摩斯接過那圖，說道：「謝謝你，現在請你講下去吧。」

「你看這張圖。那時我下了扶梯，急忙走進那間小房間。我看見我們的僕役正睡熟在他的椅子上。從燈光下瞧去，那煤爐上的咖啡正騰沸著，壺中的蒸氣直升天花板。我伸出了手，搖動那個僕人，但他打了個呵欠卻仍舊睡熟。正在此時，他頭頂的電鈴忽然大響起來，他被鈴聲驚醒了，跳起身來。他瞧著我，露出驚奇的樣子，叫道：『費

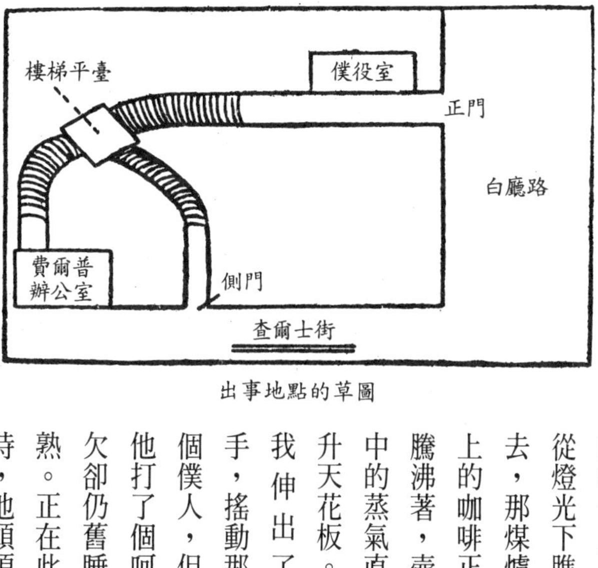

出事地點的草圖

爾普先生！——』『我是來看我的咖啡的。你可預備好了？』『先生，請你原諒，我守著煤爐，不覺就睡著了。』他看著我的臉，又瞧著檯旁的電鈴，臉色頓時滿現著疑問。他問道：『先生，你既在這裡，那麼，誰按這電鈴呢？』我道：『這電鈴嗎？那鈴裝在什麼地方？』『那鈴是裝在你的辦公室裡的。』我聽了這句話，心涼了一截。暗想假使有人走進我的室裡，那張密約正攤在我的桌上，祕密必定要洩漏了。因此，我忙轉身，瘋狂地奔上樓梯。福爾摩斯先生，我回樓上時，走廊裡沒有人，走進室裡也不見人影。我慌忙走到我桌前，只剩我方才抄下的副本，那密約的正本已不見了。」

福爾摩斯從椅子上站起來，不停地搓著他的兩手。我知他的好奇心又旺熾起來了。他喃喃道：「那麼，你那時有什麼舉動呢？」「我那時想那偷密約的賊，一定是從側門進來，由那小梯上樓的。因為假使他從正門那條路進來，必定會和我碰面的。」「你能斷定那竊賊不是預先躲在室內，或藏在甬道裡嗎？」「決不會的，因為房裡和甬道上燈光都很明亮，決不能容人藏身的。」「謝謝你，請你說下去吧。」一會，那個侍役也跟著我上樓了。他瞧見我驚懼的樣子，且聽我說明了這事。就跟著我一同跑下那條小梯，奔出側門，直到查爾士街上。那裡的門虛掩著沒有上鎖，我們就開了門奔出去，我還記得出門時，聽見教堂的鐘聲正敲了三下。那時正是九點三刻。」

福爾摩斯點了點頭，說道：「這點非常重要。」

「那夜很黑，微微下著小雨。查爾士街上已沒有人，只有一輛笨重的普通貨車，從白廳那裡慢慢地過來。我們四面瞧著，見離我們不遠處有一個站崗的警察，我們就急忙走去。我喘息說道：『外交部出了竊案，被偷去一卷很重要的密約。你可曾瞧見有人從這裡過去嗎？』他道：『先生，我在這裡才站了一刻鐘。只見一個人在這時間內走過去——那是一個身材高大的年老婦人，身上披著一條波斯圍巾。』那侍役叫道：『啊，她是我的妻子啊！難道除她以外，就沒有別人走過嗎？』『沒有別人了。』他扯著我的衣袖，叫道：『那麼，這個竊賊，必定從別的路上逃走了。』但是我見他這樣子，不禁起了疑心，就站著不去睬他。我叫道：『那個女人從那裡去的？』『先生，我不知道。不過我見她從我身旁走過的時候，樣子很匆忙。』『她走了有多久時間了？』『還不到幾分鐘哩！』『大約只有五分鐘嗎？』『是的，恐怕還不到五分。』那侍役又叫道：『先生，你怎麼這樣空耗時間，還不快去追那竊賊呢？那是我的妻子，決不會幹這偷竊的事情的。快來吧！到那街的巷底，或許還可見那竊賊呢。好了，假使你不去，我就一人去追了。』他說完，就轉身奔到正門那邊的路上去。但我見他這樣，就益發疑惑，忙追上去，把他捉住。我道：『你住在那裡？』他答道：『我住在布列克斯登，伊文街十六號。費爾普先生，這事和我們沒有什麼關係的。快點來，到街的那邊去，我們或許可以得到一些蛛絲馬跡。』我聽了他的話，就和那個警察一同前去。但那街上，只有那些貨車和行人來來往往，卻沒有一個人可以告訴我們一點線索。後來，我們就很懊喪地回到部裡。我打了一個電話給警局之後，就在那油漆過的路中仔細查察，希望得到一些線索。可是我們勘察了好久，卻沒有瞧見任何足跡，或別的泥痕。」福爾摩斯道：「你可還記得那晚什麼時候下雨？」「大約在七點鐘的時候。」「那麼，那個婦人到你的房裡已是九點鐘了。難道也沒有她的腳印嗎？」「我很佩服你能指出這點。我那時已問過那婦人，她進了部裡之後，就在侍役室裡脫掉雨鞋，換成了拖鞋，才走到樓上來的。」

「這的確很奇怪。這一夜地上本是很濕的，卻沒有足印，眞是出人意料了。但以後你又做些什麼呢？」

「我們又勘察屋裡，也沒有任何形跡。窗戶很完好，離地有三呎高。室中並沒有祕密通道。白粉牆上也沒有一些坼裂的破縫，地上的地毯很厚，瞧不出什麼足跡。我斷定那偷我密約的人，只有從門外進來，沒有別的路的。」

「你可曾察驗屋裡的壁爐呢？」「那屋裡沒有壁爐。只有一個火爐罷了。那電鈴的機關裝在我書桌的右邊，假使有人要按那電鈴，必定要走近桌邊的。不過那人既是來偷我的密約，爲什麼又要按那電鈴呢？這一點不是很奇怪嗎？」

「這的確是很奇怪的事情。我請問你，你回去後，可曾瞧見有一些歹徒留下的東西──像雪茄的煙尾，或掉下的手套、髮夾，或別的小東西呢？」「沒有任何東西留下。」「可有些味道嗎？」「我們沒有留意這點。」「唉！那是很可惜的。假使你能嗅出一些煙草氣味，對於這案就有很大的幫助了。」

「我一向不吸煙的。我想那時我就算聞出了煙葉的氣味，也決不能辨出那煙的種類的。但我覺得那侍役的妻子──她的名字叫做坦嘉太太──最可疑。那侍役雖說她在那時回家，和案情沒有一絲關係。可是那個警察和我都很懷疑那婦人就是偷密約的人。我們就打算在那時把她捕住，不讓她有機會把密約售出。那時蘇格蘭警場的偵探傅貝司先生也已趕來了。我把這案的經過和意見告訴了他，他也很贊同，就和我一同照著侍役告訴我的地址，坐車趕去。一個半鐘頭後，我們就到了那裡，有一個年輕的女子出來開門，她就是坦嘉太太的大女兒。但她的母親，那時還沒有回來，我們就走到屋內去等她。大約十分鐘後，忽有一陣叩門的聲音。那時我們沒有想到這時應當立刻出去，讓他措手不及。我們讓那個女孩出去開了門。我們就聽她說道：『母親，我們家裡來了二個人，正等著要見你。』接著，我們聽見一陣腳步聲直走過我們屋外。傅貝司立刻打開門，我們倆忙奔進後邊那間像廚房的房間裡。但是那婦人已比我們先行進去。她瞧見了我，眼光露出驚奇之色，接著，她的臉上顯得很恐懼似的。她叫道：『呀，你不是部裡的費爾普先生嗎？』我的同伴問道：『喂，你可是想逃避我們？』她道：『我以爲你是收租的人。我們是安分的工人啊。』傅貝司叱道：『你還想欺騙嗎？我們斷定你就是偷外交部密約的人。你這樣奔進這裡，大概想藏去你的贓物。現在你快跟我們一同到蘇格蘭警場去。』我們於是要她一同出去。在我們三人追進去的時候，首先就檢查那間廚房，怕她畏罪把那份密約丟在竈火上焚毀。但我們細瞧那竈，卻沒任何痕跡。我們沒有辦法，就一同到蘇格蘭警場去。警局裡的人在婦人身上搜查，卻始終沒有搜得那份密約。這時我才想到我處境的危險。因爲我深信著那張密約可以立刻歸還，所以根本沒有想到失敗以後有怎樣的結果。現在一籌莫展了，才使我想到我的前途眞是何等的可怕！華生一定曾告訴你，我在學校的時候是一個膽怯的小孩——這是我的本性。我想到我的羞辱竟要加到我的舅父和內閣裡的人，以及一切和我有關係的人的身上。這損害雖然因一個意外，但事實上誰能原諒？又有什麼用呢？因爲凡關係著外交的問題，無論如何決不能原諒。我因這般的羞辱，眞不知怎樣才能彌補。那時我恍惚記得當時的情形，有一批同事們圍繞著我，都來設法安慰我。同事中有一個人，用車子載我到滑鐵盧車站，送我上往華根的火車。我相信當時假使沒有住在我附近的費里安醫生和我同車回去，那後果眞不堪設想。因那醫生很小心看護我，幸虧他這般待我，我才能安然回到家裡。否則我在沒有回家之前，已經成了一個瘋子了。你當能推想我回家的時候，當那醫生按了門鈴，我的家人們出來，看到我這樣子是多麼的驚訝。可憐的安妮和我的母親幾乎都悲痛得要心碎了。費里安醫生說我的病應當多休息，不是一時就能醫好的。因此，我就搬到這間有花圃的房裡。這間本是約瑟夫的臥室，他讓給我做病房。福爾摩斯先生，自此以後，我就不知人事地臥病了七個星期。我現在要告訴你，那醫生離開後，哈里遜小姐就做了我的看護。她白天成天陪著我，到了晚上，才由一個雇用的看護婦照顧我。我的疾病是在三天之前才恢復了神志。那時我立刻就拍了電報給傅貝司先生。探詢這案子的情形。但他的回電卻是說仍沒有一點頭緒，他雖竭力盤問那個侍役和他的妻子，卻都沒得到任何線索。那些警察們又懷疑到那書記葛羅德，說他在那夜走得晚，很可疑，但也我不到什麼嫌疑之點。而我開始膽錄的時候，他已回去，不像是有什麼關係的。不過警方還是嚴密監控他，但至今也沒有得到些什麼。福爾摩斯先生，現在我最後的希望就寄託在你身上了。假使你不能成功，我的性命和地位自然就都毫無希望了。」

他說完仍坐在他的椅子上。他因爲冗長的談話，面色微白，氣息也有些急促。那時他的看護急忙給他服些安神藥劑。福爾摩斯依舊坐著，低垂了他的頭，閉著雙眼，靜穆地和無事的人一般。但我卻知道他的思緒正在洶湧地翻騰。

不久，他才說道：「你的陳述已很詳細，但還有幾個問題要向你詢問。就是你接受那膽錄密約之後，可曾把這事告訴過別人？」「沒有告訴過任何人。」「難道連哈里遜小姐，也不曾告訴過嗎？」「我那時沒有回到華根，和她隔居兩地，當然無法告訴她了。」「那麼，你在膽錄的時候，可有朋友來見過你呢？」「也沒有。」「部裡的捷徑，你的朋友可都知道？」「是的，他們大半都知道。」「但假使你沒有把那抄錄的事告訴過別人，這捷徑也就和這案沒有關係了。」「我當眞沒有告訴過任何人。」「你可知那個侍役以前幹什麼事的？」「我並不淸楚。只知他是一個老兵。」「他隸屬在什麼軍隊裡？」「啊，我聽說是介斯德姆的守衞兵。」「謝謝你，別的事情我可問傅貝司，或許還可以得到一些有幫助的消息。現在我沒有什麼問題煩你了。啊，這朶玫瑰花眞是可愛啊！」

他起身走到那開著的窗前，伸手採了一枝盛開的玫瑰花。他反覆地瞧著，然後靠在窗子，面向著我，不停地把玩。

這朵玫瑰花真是可愛啊！

他背靠著窗檻，說道：「毫無疑惑，造物主創造一樣東西，終有他的用處。像這朵花，他美麗的顏色和馥郁的香氣可使人神清氣爽，增進我們的智慧，以及讓我們無形中感受安慰。這玫瑰花只不過是其中的一種，別的花卉也可給我們很多的幫助。」

鮑西‧費爾普和他的看護聽了他這空虛的言論，互相看著，臉上都顯出錯愕的神情。他把花摘下，不時地在手指中玩弄。這樣過了數分鐘，那年輕的婦女才開口說話。

她用冷澀的聲音問說：「福爾摩斯先生，

你對於這案，可已有一些把握了？」

他收回了他虛幻的思緒。答道：「唉！把握嗎？這是一件很怪異的奇案，一時不容易尋到線索。但假使我得到一些線索，必定告訴你。」「你可看出些線索了？」「你要原諒我。等我先把這案的全部情形思索一回，那時必定可以找到一些線索的。」「你可有懷疑的人？」「我懷疑……」「什麼？」「我不能這麼快下定論。」「那麼，你回到倫敦之後，總請你竭力偵查。」

福爾摩斯很興奮地答道：「哈里遜小姐，妳的話很對，華生，我想我們在這裡已沒有什麼事了。費爾普先生，這眞是一件十分可怕的案子。但我會竭盡全力，不至使你失望。」

那外交員叫道：「我希望你下次來時，能給我一個好消息。」

「好，我明天乘早車再來。但恐怕我不能

有較好的消息可以安慰你。」

我們的委託人叫道：「上帝保佑你成功！但我現在還有一些事情要告訴你。前幾天，華特赫司特公爵曾給我一封信。」「啊，他說些什麼？」「他措詞很冷酷，但是還不十分暴烈。我想或許因我的疾病才好，因此沒有苛責我。他說那張約紙很重要，決不能遺失的。他說我的處境——這是一定的，他的意思，關係我的前途和命運——全看這密約能否歸還才能決定。」

福爾摩斯說道：「好，我保證給你一個好的答覆。華生，來，我們今天還有許多事情要回去進行呢。」

約瑟夫·哈里遜先生用馬車送我們到了火車站。我們就搭上前往樸資茅斯的火車。福爾摩斯進了車廂，沉默不語，直到那火車經過了克拉分傑動車站，他忽向我開口：「你看，這火車經過的路，兩旁的房屋看去眞是美麗。」

我那時聽他和緩的聲音，很佩服他能在霎時間把那案子忘記了。但那景色並不悅目，我還以爲他在說笑，他又繼續解說：「看這棟高大的房屋，建築得眞美麗，好像一座小島，浸沉在綠油油的海中。」我道：「這是巴特校舍。」「我的老友，那些都是燈塔！他們都是未來的大人物！眞像一粒果莢，裡面包含著幾百顆種子，將來養成了許多人才，必能把英格蘭治理得更好。我想費爾普這人或許不會飲酒的。」我道：「我想他不會。」「我也這樣想。這案既詭祕複雜，我們對於那瑣碎的事情就不能不謹愼推究。那可憐的人現在已浸沉在很深的水潭裡，我們要怎樣才能把他救出來呢。你對哈里遜小姐有什麼感想呢。」我道：「她是一個性格強毅的女郎。」「是的，但我想她是十分溫柔的。她和她的哥哥似乎是在北方長大的。她因要和費爾普結婚，才在去年冬季和她的哥哥來到這裡，這時卻出了這件岔子，她就做了她情人的看護，她的哥哥約瑟夫也就留在這裡了。以上是我簡略地研究。今天我就要開始調查。」

我道：「我的醫務……」福爾摩斯很粗魯地搶著道：「唉！你假使認爲你自己的醫務比這案子更重要……」「我是要說我的醫務不妨躭擱一兩天，因爲這是一年裡最清淡的時期。」

他聽了又恢復了他平和的態度，說道：「這樣很好！現在我們恢復合作。我想我們先去找傅貝司，他對這案子知道得很詳細，或許他還能告訴我們些有用的事。」我道：「你是說你已經有一個線索了。」「是的，我們已有幾個了。但是那線索還不明朗，不能馬上和事實印證，因此現在我們還不能確定。試想什麼人，可以在這密約上得到利益呢？一個是法蘭西大使，一個是俄羅斯大使。此外無論是誰，若能把密約賣給這兩個公使，也可得益。另外還有一人，就是華特赫司特公爵了。」

「華特赫司特公爵嗎？」「是的，他是這案最主要的人物。但他在出事之後，卻仍這樣的鎮定，沒有任何恐懼，那似乎也是一個值得研究的問題。」「像這樣尊貴可敬的華特赫司特，我想決不致幹什麼不法的勾當。」

「這是一樁問題，我們現在還不能預先斷定。我們今天去見了這尊貴的公爵，才能在他的談話中尋出一些有用的線索。現在我已經進行這案了。」

「你已經進行了嗎？」「正是，我在華根車站已拍了一個電報給倫敦各家晚報，這就是那報上所登的廣告了。」

他說著從日記簿裡拿出一張信紙，上面用鉛筆寫著一則廣告道：

「十鎊的賞金——五月二十三日晚上，九點三刻，查爾士街，外交部門口，停著一輛馬車。若有人提供那輛車的車號，就可獲得上述賞金。貝克街B座二二一號。」我問道：「你認爲那個竊賊，是坐車子來的？」「或許不是，但也沒有什麼妨礙。假使費爾普的話沒錯，那辦公室或走廊既沒有可使人藏身的地方，那人必定是從外面進來的。假使他那夜眞從外面進來，但卻在下過雨的地上沒有留下一些泥痕和水跡，那麼，可知他必定是坐車來的。是的，我想我們必定能得到那輛車子的車號。」我道：「這個方法不錯。」他道：「這只不過是我所說的幾條線索之一。我們還要尋到一些別的事情。當然，還得研究那個電鈴——這是此案中最難解釋的一點。那人爲什麼要去按響電鈴？可是那竊賊故意按響了，要威嚇人？或許還有別的人和那竊賊一同進入，但是那人不願幹這勾當，才按那鈴想禁止他的舉動？或許這只是出於無意的？或許這是……」

他說到這裡，忽仰身後靠，反覆搓著他的雙手，突然不語。我見他這般，細察他的表情，知道他已得到了一個新的可能。

我們下車的時候，已過了十二點三刻。下車之後，福爾摩斯就打了個電話到蘇格蘭警場給傅貝司。我們草草吃過了午餐，忙趕到那裡，他正在等候我們。他是一個短小精悍的人，但態度似乎很傲慢。他向我們點了點頭，就聽我們向他說明我們的來意。

他很輕蔑地說道：「久仰大名。我聽說你的勢力很大，可以驅役警局裡的人。但案子若成功了，功勞都歸你。失敗了，卻都歸咎他們。」

福爾摩斯說道：「那正相反。我以前一共破獲五十三件案子，但用我的名字的卻只有四案，其餘的四十九案，我都把功勞讓給警局中的人。我知道你還是一個新進人員，所以還不知道以前的事。但假使你想得到一些新知識，就必須和我合作，不可這般嘲弄我。」

那偵探忽變了態度，說道：「我很樂意聽你的教訓。我只是聽他人胡說，請你不要介意。我對於這案，眞覺得無從著手。」他道：「你進行了些什麼事情呢？」「那侍役坦嘉嫌疑很大，但我們探聽他在當守衛兵的時候是一個很好的士兵。我們在他身上得不到什麼端倪。他的妻子是一個帶來厄運的婦人。」他道：「你跟蹤過她嗎？」「我們已差了一個婦人跟在她的身後。坦嘉太太是一個酒鬼，我們的婦人常和她一同飲酒，可是從她身上也沒有得到任何線索。」

福爾摩斯道：「我聽說有一個收租的人在等他們。」「是的，但他們已把錢付淸了。」「他們的錢從那裡來的呢？」「這一點的確很重要。他的錢是以薪俸支付的。」「她可曾回答你當費爾普按了電鈴，要咖啡的時候，她爲什麼前去應命呢？」「她說她的丈夫那時很疲倦，因此她就代他前往。」「好，這點還符合，因爲費爾普下樓的時候，那僕役已睡熟在他的椅子上了。你可曾詢問過她，那夜她回去的時候，爲什麼那麼慌張？就是那警察見她擦身而過的時候也覺察她驚慌的神情。」「她因爲那天回家的時間已比平日晚了。」

「但你和費爾普先生跟著她前去——大約在她離開後二十分鐘才出發。爲什麼反比她先到她家呢？」「她說她是步行的。我們是坐著兩輪馬車。」「她爲什麼到了家裡便急忙奔進她的廚房裡去呢？」「因爲她的錢就藏在那裡。她預備取了出來，付給收租的人。」「她對於每件事情都交待很清楚。但是你可曾問過她，那晚上她離開的時候，可曾注意查爾士街上有沒有人？或一輛馬車逗留呢？」「她只看見一個警察，此外並沒看到任何人。」「好，你詢問得這麼詳細，的確很是縝密。此外，你還著手些什麼事情呢？」「在這九個星期裡，我們也派人長期跟蹤葛羅德書記。但我們在他身上，也沒探出什麼。」「此外還做過其他的事嗎？」「我們已不能再做什麼了。我們並沒有任何證據。」「你對於那電鈴的響聲，可有什麼理解？」「是的。這一點最讓我不解了。我想過很久，總猜不出這一著究竟是什麼用意。」「好了，你能這樣已很好了。謝謝你這樣詳細地告訴我。假使我能夠把那人捕住，我必定把他交到你的手中，讓你結束這件案子。華生，我們去吧。」

我們出了警局，我問道：「現在我們到那裡去呢？」

「我們現在就去謁見英國的外交大臣華特赫司特公爵。」

我們到唐寧街外交部的時候，華特赫司特公爵還在他個人的辦公室裡。福爾摩斯把他的名片遞進之後，我們就一同進去見他。這外交大臣態度很溫和，恰符合他老練的外交官神態。他請我們傍著他坐在火爐兩旁的安樂椅中。他站在我們倆中間。他的身材高大，臉部光潔，頭髮已有一些灰白，但是他的神彩煥發，眼光更是明澈，眞顯出是一個尊貴的貴族。

他微笑說道：「福爾摩斯先生，久仰大名。

現在你到這裡見我，請問有些什麼事情？」

福爾摩斯答道：「我爲鮑西．費爾普先生的事情特來謁見你。」「唉，我那不幸的外甥，你當也明瞭他出了這不幸的事情，關係重大，正使我無從著手。恐怕他的前途已沒有希望了。」「但假使尋回來了那份密約，就能挽回嗎？」「啊，假使眞能這樣，那當然不同了。」「華特赫司特公爵，我現在要問你一、二個問題。」公爵道：「我很樂意盡我所知的答覆你。」「你把那份密約給你的外甥，可就在這間屋子裡？」「是的。」「那麼，你想外面很難偷聽到嗎？」「絕對聽不到。」「你可曾告訴過別人，你那份密約要請人謄錄？」「沒有。」「你確定沒有記錯？」「沒有。」「好，你既沒有告訴別人，費爾普先生也沒有告訴別人，那麼，這事一定沒有他人知道了。那竊賊走進室去，純屬偶然，只不過他恰好瞧見了密約，才下手偷去的。」

那外交員笑了一笑，說道：「我看你料斷這事，的確十分敏捷。」

福爾摩斯想了一會，說道：「我現在還有一點要請你答覆。假使這事給外面知道了，後果究竟怎樣？」那外交官的臉上，立刻露出沈重的表情，說道：「那是十分危險的。」「這事現在在外面可已走漏消息了？」「還沒有。」「假使這密約已經到了法蘭西，或到了俄羅斯的外交部，你確定一定能夠聽到消息嗎？」

華特赫司特公爵臉色仍很沈重，說道：「我一定能夠聽到的。」

「那麼，這事已近十個星期了，怎樣還沒有聽說呢？難道是有什麼阻礙，所以還沒有到這兩國的外交部？」

華特赫司特公爵聳了聳他的雙肩道：「福爾摩斯先生，我們也很難理解。這賊偷到了約，大概已把它高擱起來了。」「或許他正等著更高的代價呢？」「假使他再等下去，必定一個錢都得不到了。在這幾個月裡，這約就要變得一文不值了。」

福爾摩斯說道：「這眞是最不可解的。或許這賊突然發病……」

那外交官瞧著他，岔口說道：「你可是懷疑他也患了腦疾嗎？」

福爾摩斯笑道：「我沒有說這句話啊。華特赫司特公爵，現在我們已驚擾你多時，我要向你告辭了。」

那貴人送我們出了房門，說道：「希望你能把竊賊捉住，不要讓他逍遙法外。」

我們出來之後，走過了白廳，福爾摩斯說道：「他眞是一個和善的人。但是他要保住他的地位，還要一番努力才行，他雖有許多職銜，但仍不算是個富人。那是一定的，你有沒有注意到他的鞋子已換過兩次鞋跟了？華生，你已很辛苦，可以回去了。我今天也沒事情可做，只等我所登的廣告有人答覆了再說。我現在要和你道別了。明天早上，請你搭今天的火車，再和我一同往華根去。」

我在第二天早上，依他的話前去。我們又同車去了華根。但他還沒有得到回覆。他對於這案，仍沒有一點進展。他說話的時候，帶著些印第安人般冷漠的態度，我從他的外表上看去，看不出他對於這案究竟有些什麼意見。我還記得他那時的談話，是說到貝弟榮的人身測量方法，很讚佩這一個法國學者。

我們看見我們的委託人仍舊和他的看護同

在一起。看他的外表，似乎比以前好一些了。他見我們進去，就從沙發上站起身來，迎接我們。他立刻問道：「消息怎樣了？」福爾摩斯道：「我只能說，還沒有得到好的消息。不過我已經去見過傅貝司和你的舅父，但都沒有什麼特別的線索。」「那麼，你失敗了？」「還不致於這樣。」哈里遜小姐叫道：「上帝保佑你！你能這樣說，眞令人高興。」「假使我們盡我們的力量堅持下去，必定可以探明這案的。」

費爾普重新躺下去，說道：「我卻可以告訴你一些比你告訴我的更新奇的消息。」「我希望你能夠告訴我一些好的事情。」

「是的，我們四週的危險，眞是一次次地跟著前來。昨天夜裡，我又碰到一件危險的事情了。」他說著，突然臉色一變，雙眸露出恐懼的神色。接著，他又說道：「你可知道，我自信我平日的爲人，並沒有得罪人，但是我的仇敵卻要致我於死地。」福爾摩斯叫道：「啊！」

「你知道，昨天夜裡是我教看護婦出外獨睡的第一夜。因爲我已比較好些，所以我就想一個人獨睡。昨夜我因身體不好的緣故，無法睡熟，大約到今天早上兩點鐘的時候，我才慢慢睡著。可是我忽聽見一陣微弱的聲音，好像是老鼠嚙咬木板的聲音。我躺著靜聽，隔了些時候，那聲音卻更大聲了。我細聽那聲音是從窗的那邊來的，是一種金屬器撬物的尖銳聲音。我吃了一驚，慌忙坐起身來，但聲音卻沒有了。似乎他在懷疑室裡的人是否醒著，才暫時回歸靜寂。接著，第二次聲音果然又響起來了。那人等了大概十分鐘左右，聽見我沒有聲音，於是把窗整個撬開。我見此狀，立刻跳起身來，急忙奔到窗口往外看，見一個人正蹲在窗下。我只瞧了他一眼，他早像閘下的水一般，倏地逃走了。他臉上蒙著黑布，遮住了面目。我只瞧見他的手中拿著一件兇器，看去似乎是一把銳利的長刀。不過我要細看的時候，他早已不見蹤影了。」

福爾摩斯說道：「這眞是很新奇的事情。鮑西，以後你又怎樣呢？」

「我假使身體強健，一定會跳出那開著的窗，出去追趕。那時我只把屋中的呼人鈴按響，但是隔了一會，卻沒有一個人來。因爲那電鈴是裝在廚房裡的，那些僕役都睡在樓上。因此，我就竭力呼喊，約瑟夫聽到先下樓，之後別人也都來了。約瑟夫聽了我的陳訴，和僕役在窗外的花壇上尋到一些足跡，可是因天氣乾燥，所以跟蹤到草地，就沒有其他腳印了。不過那園邊隔開馬路的木柵上有一些痕跡，似乎那人因越柵而出，被柵尖所傷。這一件事，我還沒有告訴本地的警察，想等你來解釋。你認爲這事究竟是什麼原因呀？」

福爾摩斯聽我們的委託人講這新奇的故事，眼中閃閃發光，露出很專注的表情。接著他從沙發上站起身來，不停地在室內往來踱著。

費爾普忽似乎想到了什麼，含笑說道：「眞是禍不單行啊！」

福爾摩斯說道：「你的話沒錯。你可以跟我們一同去勘驗這屋子的四周嗎？」「好，我也很喜歡這和暖的陽光。約瑟夫也一同去，可好？」哈里遜小姐說道：「那麼，我也同去。」福爾摩斯搖著他的頭，說道：「我卻不願你去。我要請你留在這裡。」

那個年輕女郎露出很不快的神情，仍坐回

一隻扶手椅中。那時她的哥哥已來，我們四人就一同出去。我們到那少年病人的室外，見窗下就是他方才說的花壇。但那花壇上的痕跡卻已模糊不清。福爾摩斯站定，勘察了一回，又看著那裡的玫瑰花，然後聳了聳他的雙肩。

他說道：「我沒想到這裡竟有這麼多的腳印。讓我們再看看這房屋的四周。他為什麼要從這窗裡進去，我想那畫室和餐廳裡的大窗，比這裡都來得容易進去。」

約瑟夫．哈里遜先生答道：「大概因為這裡離大馬路比較近些。」「啊，一定是的。但那裡還有一扇門，他也可以進去。為什麼要走這裡呢？」「一定是因晚上上了鎖，因此才走這條路的。」「你以前可也遇過像昨夜這種危險的事呢？」我們的委託人答道：「沒有。」「你想在這屋裡，可有什麼珍貴的東西，足以引起盜賊覬覦？」「沒有什麼貴重的東西。」

福爾摩斯把他的雙手揷在衣袋裡，在屋子的周圍信步走去。口中還不停吹著口哨，那絕不是他平日的樣子。

他向約瑟夫．哈里遜先生說道：「聽說你看見木柵上有些痕跡，似乎那人就是從那裡出去的。請你指示出來，讓我們到那邊去察看一下。」

那青年人引我們到木柵那邊，果然看見一根木柵的尖上，微微有些損壞，有一小塊斷木還留在地上。福爾摩斯把斷木拾起，細細察看。

「你認為這段斷木是昨夜才斷下來的？但我看那斷跡已舊，似乎已不止一天的時間了。」

「是的，可能是。」

「這裡我們已沒有什麼線索可得，留下來也沒有什麼益處。讓我們回到寢室裡去商量商量，比較有益些。」

福爾摩斯把斷木拾起，細細察看。

鮑西・費爾普走路很慢，他的臂膀挽著他未婚妻的哥哥。福爾摩斯卻很快地走去。我們兩人走到了寢室的長窗下，他們倆還沒有來。

福爾摩斯忙急忙低聲說道：「哈里遜小姐，你今天一定要整天的坐在這裡，不能離開一步。這事關係重大，你一定要答應我。」那女郎驚愕地說道：「福爾摩斯先生，假使你一定要這樣，我當然可以遵命的。」「那麼，你睡的時候，這房裡的門一定要鎖上，鑰匙也要謹愼藏好，不能交給任何人。」「可是，鮑西呢？」「他要和我們一同到倫敦去。」「我一個人留在這裡嗎？」「這是爲了他的緣故。你想必是肯救他的！快點！答應我！」

她無奈地點頭應允了。那時他們兩人也恰好進來。

她哥哥叫道：「安妮，你爲什麼坐在這裡呢？快到室外曬曬太陽。」「不，約瑟夫，謝謝你。我覺得有點頭痛，在這裡覺得很好。」

我們的委託人問道：「福爾摩斯先生，你現在可已有一些把握了？」他道：「啊，這事我們還須要一同研究。現在不能失去我們的機會。你須趕緊和我們一同到倫敦去，那才會有收穫。」「現在就去嗎？」「是的，越快越好，至多就擱一個小時。」「假使我眞能幫助你，這些時間我已足夠準備了。」「的確是有極大的幫助。」「我想你或許要叫我在倫敦躭擱一夜吧？」「我正要向你這樣說。」「那麼，我的那位朋友假使今夜再來，就要撲一個空了。福爾摩斯先生，現在我都聽你吩咐，約瑟夫要不要和我一同前去。以便他可以照料我？」「啊，不要。我的朋友華生是一個精通醫術的人，他一定能夠照顧你的。」「假使你能答應，我們在這裡吃了飯後，便可預備馬車，送我們三人去倫敦了。」

福爾摩斯叫哈里遜小姐在那寢室裡等，究竟是什麼用意，我眞是猜不出來，或許他要讓費爾普和那女子分開，因此才不讓他們倆接近。我們在餐廳裡吃過了午飯，福爾摩斯就和我們一同到華根車站。他看著我們進了車廂，但他卻仍站在華根的月台上，然後說他不能同往，眞使我們感到奇怪。

他說道：「我在動身之前，這裡還有一二樁小事一定要料理淸楚。費爾普先生，請你們不必等我同去。華生，到了倫敦之後，請你和我們的朋友一同前往在貝克街的寓所。我想你們老同學今天又聚在一起，一定有許多話可以深談的。費爾普先生，今夜請睡在我的寢室裡。明天早上八點鐘時，我必可乘火車到滑鐵盧車站，大約在早餐的時候就可和你見面了。」

費爾普很不快樂地問道：「但到倫敦如何商量我們的案子呢？」

「我們明天早上可以商量的。我留在這裡，就爲了處理這事。」

我們靠著車廂，費爾普叫道：「請你回去告訴布萊巴屋子裡的人，說我在明天夜裡回家。」

那時我們的火車已開出車站。福爾摩斯揮著他的手，答道：「我不回布來巴屋了。」

費爾普和我在路中談著這事，眞不知道我朋友的這個新的舉動，究竟做些什麼。他道：「我想他回去，大概是爲了昨夜的事情，還想尋到一些線索。但我不信那行刺的人，就是那個偷密約的竊賊。」我道：「那麼，你的意見是怎樣呢？」「我的意見嗎，你還不知道我現在的處境？我相信必是某個黨和我結了怨，所以他們一定要致我於死命。否則，那個竊賊怎麼不走別的路，一定要來撬我臥室的窗？並且他手中爲什麼要拿著一把尖銳的長刀呢？」我道：「你或許看錯了，他手中拿的並不是一件兇器？」「不，不，一定是一柄利刀。我看得很淸楚的。」「但他們爲什麼和你有這樣深的仇呢？」「唉，這眞是一個問題。」

「好了，假使福爾摩斯已得到這個線索，那麼，他留在那裡，勢必就爲了這事。你想對嗎？他或許已查出了昨晚要行刺的人。假使他能捕住那人，對於失去的海軍密約，必有連帶的進展。一個人來偷你的東西，另又有一個人要謀害你的性命，若說這兩件事情，完全不相關，未免不近情理。」「但福爾摩斯先生說他不回布來巴屋子去啊。」我說道：「我知道他的脾氣。他做事情總很謹愼，決不會走到歧路上去的。」說完，我們就講到別的話題上去了。

這眞是一個使我勞瘁的日子。費爾普因久病，神經憂惶不寧。我把阿富汗和印度的故事以及幼時玩笑的話，一一講給他聽。但仍不能減少他失去密約的悲痛。他一直在想福爾摩斯留在那裡，做些什麼？華特赫司特公爵的意思究竟怎樣？以及明天早上，我們究竟能得到些什麼消息？

他問道：「你想福爾摩斯靠得住嗎？」我

道：「我曾經親眼見他破過許多重大的案子。」「但可有比我這事更奇怪的案件嗎？」「有的。我曾經看見他破獲過比你這更怪異的案件。」「但是，可沒有比這件案子更關係重大的吧？」「我卻記不得這點了。但我聽說以前曾破獲過三件關於歐洲國際問題的案子，或許關係還重大些。」他道：「華生，你似很了解他。我想他有這種破案的本領，眞是一個很敏捷的人。但你想他一定能夠幫助我嗎？你想他一定能夠破獲這件案子嗎？」「他沒有說過任何保證。」他道：「這就是一個不好的預兆。」「不是，他在沒有破案之前，往往不肯把他的見解告訴人的。等到他破獲之後，才能夠把全案的情節，明晰地向人解釋。現在我們不要再空論這事了。你快點上床安睡。明天早上，他一定能給我們好消息。」

我就催我的朋友安睡。但我知他必因覺得沒有希望，所以不能熟睡。在他睡後，我在九點半鐘也上床，但我想到那事，覺得怪祕不測，一時也不能入睡。暗想福爾摩斯留在華根，究竟做些什麼？他爲什麼叫哈里遜小姐要成天在室內等候？他爲什麼既然不走，又不回布來巴屋子去？我這樣輾轉難眠，反覆思考，直到我疲憊不堪，方才漸漸入夢。

我醒的時候，恰好七點。我起身到費爾普的房裡。他的形貌很憔悴，一望而知他一定昨夜失眠。他第一句話就問福爾摩斯可曾回來。

我說道：「他既然答應了你，就一定會來的，他決不會失信的。」

我的話果然不錯。八點才過，就有一輛馬車停在門前，我的朋友恰從車裡出來。我們站在窗前，瞧見他左手裹著一塊布，他的臉龐很灰白，似乎受了傷。他進了屋子，隔了一會，方才上樓。

費爾普叫道：「他像一個失敗的人啊！」我見他說得不錯，就說道：「是的，他大概在那鎮上受傷了。但他或許已得到了線索了。」

費爾普呻吟了一聲，說道：「我不希望這樣。我希望他回來不要這種樣子。但他的手怎麼不像昨天一樣，卻要包起來呢？他到底能得到些什麼呢？」

我的朋友走進了房裡，我問道：「福爾摩斯，你沒有受重傷吧？」

他向我們點頭，道了早安之後，說道：「只是輕傷。費爾普先生，你的案子的確是一件很怪祕的案子。我以前從沒有見過。」費爾普道：「恐怕已沒有希望了？」「不過讓我多學了一種經驗。」

我說道：「請你把這冒險的事情告訴我們。你怎樣受傷的呢？」

「我親愛的華生，我今天早上從薩蘭趕了三十哩路，因此想在早餐之後再告訴你們了。可有人答覆我的廣告？好了，好了，我們不要空費現在的光陰了。」

我按了電鈴，哈德遜太太就拿著茶、咖啡和一些早餐進來。福爾摩斯狼吞虎嚥，我覺得很稀奇，費爾普卻悶悶不樂地不動刀叉。

福爾摩斯吃著咖哩雞，說道：「哈德遜太太，這菜很營養的。這眞是蘇格蘭婦人做的最好的早餐了。華生，你盤中的是什麼菜？」我答道：「火腿和雞蛋。」「很好。費爾普，你盤中是什麼呢？你喜歡吃咖哩雞肉還是蛋呢？」費爾普答道：「謝謝你，我不要吃東西。」「唉，來！你稍微吃些啊。」「謝謝你，我眞的吃不下去。」

福爾摩斯突然用一種惡作劇的態度說道：「好，那麼，現在我想你決不至再拒絕我了。」

他忽取出一份灰色的紙卷，丟在檯上。費爾普倏地站起身來，他的臉色突然變白。他搶住那紙，以驚駭的眼光看了一看，就握著紙，在室裡狂奔，好似發了瘋。我們見了，忙竭力把他攙扶到一把扶手椅中，給他喝了些酒，深怕他暈去。

福爾摩斯拍了拍他的肩。說道：「啊！這眞是我的錯，使你這樣失了常態。但是華生可告訴你，我比較愛開玩笑。」

費爾普握著他的手吻著，說道：「上帝保佑你！你果然把我的名譽救回來了。」

福爾摩斯說道：「好了，你知道我破獲這案，不但恢復了你的名譽，就是我歷年所得的微名，也可因此不至於喪失。」

費爾普放開了手，把約紙藏在袋中，起身在室裡踱著。

「想不到你果然在這早餐之前成功了。但我更願聽你說明怎樣探明案子的。」

歇洛克・福爾摩斯喝了一杯咖啡。又把火腿和雞蛋吃完，他才站起身來，坐到他的扶手椅中。

他說道：「要我說明這案，首先須把我的行蹤告訴你們。我在車站和你們分別之後，就往薩蘭村中信步走去。走到了烈柏來村的一家鄉村旅館，就在那旅館裡喝茶，休息了一會。接著，我買了些餅乾，用紙包著，藏在袋裡，預備在夜裡充飢。那時我步行到華根，等我到布來巴屋子，太陽早已西沉了。是的。我在那靜寂的路中等待——這時已沒有一個人走動，我在四週偵查了一會——然後，我就跳進了木柵裡。」

費爾普問道：「你爲甚麼不走那開著的大門呢？」

「我所以這樣，是有別的用意的。我進去之後，就站在那三棵杉樹下面，偵查這屋中可有人瞧見過我。我用樹枝遮蔽住，匍匐著從這棵樹走到那棵。我朝著你的寢室走去，等到我已能瞧見你臥室中的燈光，就蹲著等候。我看見在你的寢室裡，哈里遜小姐正坐在桌前看書。直到十點過後，她才覺得疲倦，把書合上，起身出去。之後我聽見她關上房門，和鑰匙鎖門的聲音。」

費爾普叫道：「爲什麼要鎖門呢？」

「是的，這點是我預先吩咐哈里遜小姐，在她睡時需要把門鎖上的。她聽從我的命令，才能讓我成功，而你的密約才可回到你身邊。她出去的時候，把燈火帶了出去，而我仍埋伏著。這是個晴朗的夜晚，寒氣很重，使我有些寒意。我取出袋裡的餅乾，吃著充饑，靜心等候。這樣過了很久。華生，那時間的確很長，眞像你和我在『斑爛帶』一案中住在那可怕的房間裡一般。華根禮拜堂的大鐘已敲了十二響，卻仍沒有動靜，直到凌晨二點鐘時才聽見鑰匙開門的聲音。接著，供僕役進出的門也跟著開了，約瑟夫·哈里遜先生已走到了月光之下。」

費爾普驚異地叫道：「約瑟夫嗎？」

「他光著頭，但他肩上圍裹著一條黑色的披肩，把他的臉，遮去了大半。他躡著腳，悄悄走到牆邊，用他手中銳利的長刀撬動窗栓。他把窗弄開了後，就跳進去。那時我也就站起

約瑟夫•哈里遜先生已走到了月光之下。

身來，走近室外去瞧視。室中已點了一枝蠟燭，他正蹲在窗隅，一手拿著蠟燭，一手揭去了地毯，又伸手在地板下取出一份紙卷——就是這份密約。他取了出來，把地毯放好，才熄了燈，站起回身出來。但當他跨出窗欄的時候，正撞進我的雙臂間。約瑟夫被我捉住時，也吃了一驚，用他手中的刀刺我，想要脫逃。我一時來不及躲避，手臂上就受了輕傷。他在我威迫下招供。他聽了我的話，把那約紙拋下，我才放他走。但我今天早上已打了個電報給傳貝司了。假使他能把他的鳥捕住，那也很好！但如果約瑟夫已先逃走，這密約因不經警局之手，更可一直保守著祕密，比較上更覺妥當些。我想華特赫司特公爵、費爾普先生，以及一切有關係的人，也可避免讓警局把祕密傳揚開來。」

我們的委託人喘息說道：「我的天啊！據你告訴我的事看來，這十個星期裡，那份密約都和我同在一間屋裡，沒有一刻離開過我？」

他道：「的確是。」「那麼約瑟夫！約瑟夫是行刺和偷密約的賊嗎？」「正是！我看約瑟夫的心比普通人更加兇惡。我在今天早晨聽了他的告白。他因近來虧空太大，所以偷了密約，想售得高價彌補。但他卻不管他的妹妹和你的幸福。」

鮑西・費爾普仍回坐到扶手椅中，說道：「真是意想不到啊！」

福爾摩斯用說教的態度說道：「你的案子

從表面上看來的確很詭祕不易著手。不過無論那一件案子，總有一些著手的隙洞。我們的探索，也就從那隙洞開始，一層層地進行，就能探明全案的眞相了。我懷疑約瑟夫，就因你曾說過，失竊那晚你預備和他一同回家。那麼，他必然會來找你。以後我又注意到那間寢室。因你曾告訴我，你因發病，那醫生才叫約瑟夫把他的寢室讓給你的。我又推想那密約經過這許多時候卻沒有洩漏，中間一定有著阻礙。你的看護第一夜離開你，就出了那變端，這樣一樁樁的事聯貫起來，那份密約就可確定在你的屋子中了。」

「怎麼我沒有想到這層呢！」

「現在案子既已明瞭，我就能推出他那時的舉動。約瑟夫·哈里遜是從查爾士街的側門裡進去的，我也知他是從車輛中出來的。他進了你的室中，那時你恰巧出去，他因室內沒有人，就按動電鈴喚人。可是這時候他卻瞧見了那份密約正攤在桌上，他知道那密約價值連城，於是起了歹念，就把密約藏在袋中，急忙出去。這時，你和那打盹的侍役談話，逗留沒走，直到懷疑那電鈴的聲音方才回去，這恰給竊賊有充裕的時間逃遁。他幹了這事，就立刻乘車趕回華根。爲了謹愼起見，把那份密約藏在地板的祕密處，預備在一兩天之後，帶到法蘭西外交部出售，也或許他是想另外再賣更好的價錢。然後，你卻突然回去了。出其不意地，那間臥室竟成了你的病房。他一時來不及把那密約取出，而以後你的房裡也都有人陪著，他又不能下手。直到前天，你一人獨宿。他想你病後酣眠，才敢冒險進室，想取出密約。那知你並沒有熟睡，又阻礙了他的計劃。」

「我還記得。」

「我既明瞭了這案情，料想他必定把密約藏在你的房裡。並且猜到他一定仍要把那份密約取出的，所以我就讓你離開那房間，好使他再乘間進去。但我預先吩咐哈里遜小姐在屋中坐守一天，不讓他在我未到之前下手。他果然中計，取出那密約來給我。至於晚間的事情，我方才已都說明，你們應該都可明瞭了。你們可還有別的疑問，要我指出的？」

我問道：「他第一次爲什麼要撬開窗，不從門裡進去呢？」

「他從門裡進去，要走過七個寢室。這一邊則比較容易些了。還有別的事情嗎？」

費爾普問道：「你可知道他有別的謀殺的惡念嗎？那刀是殺人的利器啊。」

福爾摩斯聳了聳他的雙肩，答道：「他或許做得出來。我對約瑟夫．哈里遜先生的心術是絕對無法臆測的。」

最後問題（原名 The Final Problem）

我現在提筆記錄這一件案子，心中非常悲痛，因爲我歷來所記有關我朋友歇洛克・福爾摩斯先生奇特而卓異的案子已經不少，這一篇卻是最後的一個紀錄了。我從前記過我奇怪的經歷，第一次和他相識在於那一件「血字的研究」案時，後來又記過別的案子，直到那一件「海軍密約」爲止。而這一件案子很重要，因爲他的努力，竟消弭了一場嚴重的國際糾紛。我本決定以後不再記錄，就是兩年前發生的那件使我精神上受嚴重打擊的事情，我也決定絕口不提。可是我因詹姆斯・莫理亞提上校最近發表的幾封信，說是要替他的哥哥莫理亞提教授洗刷辯白，才使我不得不把當時的眞相披露出來，以便大家知道這件事的實在情形。我是惟一知道這件事眞相的人。現在時機已到，再也沒有隱藏的必要。據我所知，這件事在社會上只發表過三次：第一次披露是在一八九一年五月六日的日內瓦雜誌；第二次在同年五月七日，英國各報的路透社電訊上；最後一次，就是最近發表的莫理亞提上校的幾封信了。第一、二次，記載簡略不詳，第三次卻完全和事實相反。因此，我現在準備把當時莫理亞提教授和福爾摩斯先生間的經過情形寫出來告知大衆。

我結婚後便開始行醫。我和福爾摩斯平日雖很熟，不過這時候卻較疏遠了。他有時來找我討論案情，但不是時常如此。在一八九〇年間，只有三件案子我幫過他的忙。而在一八九一年冬末春初的時候，我在報紙上見載福爾摩斯受到法國政府的聘請，辦了一件重大案件。後來我接到他的兩封信，一封從挪蓬來的，一封從尼梅來，所以我知道他在法國，一時不能回來。不料四月二十四日夜晚，他忽然來到我的診所。他的面容很蒼白，並且異常消瘦，眞把我驚訝得說不出話來。

他已察知我的神情，便道：「我近來確實辛勞過度，日益憔悴了。我有許多話要告訴你，你能依我的請求，關上你的百頁窗嗎。」

我書桌上的燈光照滿一室。福爾摩斯藉著燈光，走到牆邊，把百頁窗關上，又很鄭重地鎖上。

我問道：「你有什麼恐懼嗎？」他道：「是的。」「害怕什麼呢？」「我害怕空氣槍的襲擊。」「我親愛的福爾摩斯，這話是什麼意思？」

「華生，你向來了解我，我並不是沒有膽量的人。但危機逼迫，不得不防，否則便不是勇，簡直是笨了。能麻煩你給我一枝火柴嗎？」他吸著雪茄，意態似鎮靜平定了些。

他道：「這麼晚來打擾你，眞的很抱歉。我還有一事要求你的答應，就是我立刻要翻越你的圍牆離開了。」

我問道：「這又是什麼意思呢？」說時，他出示其手。我在燈光中瞧見他的指節間尚有流血的痕跡。

他微笑道：「你瞧，這不是無端弄到如此的。華生太太在家嗎？」我道：「她恰巧出去訪客了。」「那麼，只有你一人獨處嗎？」「是的。」「果眞這樣，你能依我的要求，和我一同出去做一星期的旅行嗎？」我道：「到那裡去呢？」「無論什麼地方，你只跟著我便是。」

這許多事都很奇怪。那些行爲決不是福爾摩斯平時的性情，他也決沒有這樣的閒暇。再加上他面容、神情都與平日不同，不知究竟是怎麼一回事。他已知道我的懷疑，便把手肘支在他的膝上，講他所遭遇的一切。

他道：「你難道沒有聽過莫理亞提教授這個人嗎？」

「沒有聽過。」

他嚷道：「這很令人驚訝的！此人是倫敦的惡徒，但他善於掩飾，還沒有人知道他的劣跡。實際上他的罪惡已堆積的和塔樓一般高了。華生，我把重要的事告訴你，倘我能戰勝此人，使此人被社會所鄙棄，那麼，我的事業也算到了顚峰，我從此可以退居休養了。近來我爲法國政府效力，所獲已足自給，且生活又適合我的性情。但若莫理亞提教授這人仍留在倫敦，華生，我決不能安閒坐視。」

「他的行爲究竟是怎樣呢？」

「他的經歷非常奇特。他生於名門世家，受過良好的教育，對於數學尤其擅長。他在三十一歲時曾著書論代數二項式的定理，一時風行歐洲。因這緣故，獲得了某大學數學教授的職位，地位很崇高。但他秉著先世的不仁遺傳，橫行恣肆，無所不爲，再加上他智多才富，更讓他成了一個危險的人物。後來他在該地被人詆擊指摘，不得已，就辭掉教職，以倫敦做他作奸犯科的大本營，他的許多罪狀劣跡，凡是我所探查出來的，都可以告訴你。華生，你知道倫敦的那些重大犯罪活動，沒有人比我更清楚的了。這幾年來，我時常覺得暗中有股龐大的勢力，蔽護那些罪人，使公理無法伸張。我所辦理的案件，種類很多——僞造案、劫奪、謀殺，一經偵查，發現此中有一個專門計畫的人。在這幾年中，我很努力地揭其黑幕，尋其線索，費盡了千方百計，才知道這人便是很有聲譽的莫理亞提教授。華生，他是犯罪界中的拿破崙。他非常有才思，足以駕馭惡勢力，所以他的黨羽差不多佈滿全城，沒有一個不聽他的命令。他安閒地坐著，正和蜘蛛居於網中一般，人們只要觸動他的密網，他就做好了準備。他除了計畫外，其餘都不勞他動手。他的黨羽很多，且有很顯赫的人，因此他的罪惡簡直讓人難以指揭。但他都多方掩飾，所以每次都能卸脫罪名。偶或有他的黨羽被捕，但有他以金錢做後盾，也就沒事了。所以他的黨羽都毫無忌憚地恣意妄爲。他的一切組織只有我知道。華生，我一定要盡全力把它一一揭發出來。然而那教授卻能想出種種狡猾的方法來作爲護身符，所以很難得到證據可以到法庭上控告他。我親愛的華生，我的能力你向來知道的。我遇到這個敵手，在這三個月中，眞是費盡心力，但仍不能捉到我所憎惡的罪人。近來他要做一個小小的旅行，在這期間，我要乘此機會動身到那個地點去，把他逮捕。目前時機漸熟，我料下星期一，不管是教授或是一班罪人，全部要被逮捕了。現在只有三天了，到那個時候，我一定可教那罪犯的首腦知道我的厲害。但事前，我們須力守鎭靜，倘若過於急切，他們恐會從我們的掌握中溜走。我的所爲，莫理亞提教授也深悉。我設法誘他入網，但他很狡猾，常出計謀抵制。他越是想辦法脫身，我越要盯緊他。朋友，我告訴你，倘有人把我們倆暗中的爭鬥詳細記述出來，那些事蹟眞可爲偵探史增添大好材料的。今天早晨，我坐在室內，默想一件公案，不料房門忽啓，莫理亞提教授赫然立在我的面前。華生，當時我大吃一驚。因這進我房間的，正是我所天天懸於心裡的人。他的容貌我很熟悉，他非常高且瘦，額角突出，眼眶深陷，臉色白淨。他看人的時候，眼光靜穆有威，好像非此不足以表示他是大學教授的樣子，他時常左右顧盼，肩背有點佝僂，樣子很鄙陋。那時他進了我的室內，便以雙眼睨視我，我料他心中也很驚訝呢。最後他忽對我道：『你的胸前爲什麼隆起？衣袋中的槍既已上膛。卻以手撫弄，這是很危險的。』因爲在他入室時，我已察覺到了危險。不容我說，也被他料到了。那時我就立刻把那手槍從袋裡取出來，毫不掩飾。當我把武器丟在桌上時，他很注意地瞧著。他又故意微笑，顯出毫不在乎的神情。他道：『你大概還不認識我哩。』我答道：『你的話恰和事實相反。我非常認識你。請坐，倘若你有什麼事，我可以和你作五分鐘的談話。』他道：『我所要說的，你都知道了。』我答道：『那麼！我的答覆，你也早就料中了。』『你會堅持到底，不讓步嗎？』『那是斷然無疑的。』他忽地探手到袋裡去，我急忙從桌上取了手槍準備著。不料他取出來的並不是什麼武器，只有一本寫著年月的筆記簿。他道：『你在一月四日，曾侵阻我一次；接著二十三日又設法不利於我；後來二月中，又被你纏擾過；三月底，更阻礙我的計畫，現在已四月了。我屢次受你迫害，置身險境，幾乎盡失自由了。你爲難我的計劃，恐怕不會就此罷休吧？』我問道：『你有什麼打算呢？』他側著頭道：『福爾摩斯先生，你必須改變你的計畫才是。』我道：『過了下星期一再說。』他道：『哼，哼！

像你這樣聰明的人，不懂要置身事外嗎？你如果再這樣做，我也有別的方法應付你。但你何苦這樣逼我？到那時我如果採取極端的手段，你也不要怨我了。』『危險是我工作中所難免的。』他道：『你若執迷不悟，不是危險就可算了。要知道，我們的組織是很有勢力的。如今你的所爲，不但有礙於我，更關係到我們全體。難道你敢和我們全體決鬥嗎？福爾摩斯先生，我勸你還是識相些吧。』這時我站起來道：『現在有人在等我，我決不能輕忽我的工作，而和你空談。』他也推椅而起，很靜默地瞧著我，並搖著頭，露出憂愁的神色。最後他道：『眞可惜！但我已給你忠告了。你的把戲我都知道。你在星期一前不會有什麼舉動。福爾摩斯先生，你和我正在決鬥之中。你想阻礙我，我決不會被你阻礙。你要擊敗我，我也決不被你擊敗。總之，你怎樣對待我，我也就怎樣還報你。』我道：『莫理亞提先生，你過獎了。爲了公衆的利益，我也會有一定的舉動的。』

莫理亞提說到這兒，便轉身匆匆離去。

他說到這兒，便轉身匆匆離去。莫理亞提教授的這一席話，頓使我心中覺得不愉快起來。因爲他的話，似委婉而實嚴厲，很有些暗示，當不是虛聲的威嚇。我知道你要說：『爲什麼不報警處理呢？』但我卻不能這樣，他的黨徒很多，他也許借手他人來害我。這種事，我已體驗過了。」

「你難道已經受到襲擊了嗎？」

「我親愛的華生，我和莫理亞提教授勢不兩立，危險是難免的。今天中午，我有事要到牛津街去。我正走到倍丁克街的轉角上，不料從威爾倍克街方向突然有一輛雙馬車急馳而來，猛向我衝來。我一躍避過，才保住了生命。那馬車駛向梅麗旁街而去，一瞥便不見了。華生，此後我行走大路，遂有了戒心。當我走到繁蘭街時，忽有一甎從某屋頂上墜下，砰然碎裂在我的腳邊。當時我就馬上叫了警察，到那個地方去察看。在那屋頂上，有許多甎石堆積著，好像正事修葺的樣子，所以警察認爲是被風吹落的。我卻明白其中實情，無奈無從證實。不一會，我就雇了輛街車到包爾美爾去拜訪我的哥哥，才算度過了這天。此刻我到你這裡來，在路上又遭人的棒擊。我把那人的棒子奪下來，那人也被警察逮去了，但那人曾咬我的手指，所以那流血的痕跡你也可以明白了。華生，你莫驚訝我到你這裡首先便把百頁窗關起來。而且還要得到你的允許，做一次小小的旅行。」

我平素很佩服我友的勇敢，今天的事更令我折服。因他迭遭不測，卻仍能應付自如，這是很不容易的。

我道：「你要在此過夜嗎？」「朋友，那是不可能的。我住在這裡有太多的危險。好在我的一切計畫都已定奪了。不久便可捕獲罪人，把他定罪。在這數天中，一切均由警察去部署，無需我的幫助。所以你在這個當兒，能和我一同出遊，我心中很愉快的。」我道：「還好最近醫務清閒，又有鄰人可以幫忙。不妨就和你同遊吧！」他道：「那麼，明晨動身好嗎？」

「何必這樣倉促？」

「我親愛的華生，已勢不容緩了。但我有一個請求，就是你必須事事聽從我的安排。你此刻要和我協力抗拒那個狡猾有名的惡徒，又需偵查在歐洲一個很有勢力的犯罪組織。現在你聽著！你趕緊把行李準備好了，吩咐一個誠實可靠的僕人，在夜間送至維多利亞車站，行李上不要寫上姓名。明晨可雇一輛兩輪輕車，但吩咐你的僕人不要雇第一、第二輛駛近的車，須選擇第三輛。上車後，你吩咐車夫驅車到洛珊路的盡處，並用紙條寫上你的地址，拿給車夫，吩咐他不能丟棄。車停後，你給了車資，便越洛珊路而去。你到那裡時應在九時一刻。那時便有一輛小馬車勒轡停著，馬夫穿深黑的衣服，紅色的領巾。你見了逕自上去，他必能載你到維多利亞車站。」

「我在何處遇見你呢？」「我們在車站會面。第二節的頭等車廂便是我們預定的。」「我們同乘一車嗎？」「是的。」

當晚我留福爾摩斯過夜，未得他的同意。談不到幾句話，他就和我同至園中，冒著重大的危險，攀牆而下。我親眼看他離去。牆外便是莫蒂麥街。不一會，我聽見轔轔的聲音，知他已驅車而去了。

次晨，我就按照福爾摩斯的命令行事。進了早餐後，門外已有一馬車備著，乘坐後我就急忙地吩咐駛至洛珊路。到那裡，果有一輛馬車。那馬夫很矯捷，穿著黑色的外衣，我就毫不猶豫，一腳跨上，馬夫鞭著馬，輪軸輾動有聲地赴維多利亞車站。我下車後，那車便駛去，不知去向了。

到了車站，我的行李赫然列著。我也很容易就找到了福爾摩斯所指定的車，因所有車廂，只有這一節標著「預定」字樣。但並沒有看到福爾摩斯。我心中很驚愕。我瞧車站上的時鐘，距開車時間，只有七分鐘了。那時車站上簇聚了許多旅客和送行者，我在人叢中找尋我友，卻杳無影蹤。不一會，來了一個人，外表很有尊嚴，好像意大利的教士。他說著不標準的英語，叮囑站役，他的行李需隨身帶至巴黎。但那個站役不能明瞭他的話。我覺得那個意大利老人應該是個不錯的旅行伴侶。他不能說標準的英語，因此我花了數分鐘幫助他解釋了幾句。我又環視四周，仍不見我友，無可奈何地回到車中，延頸盼著，心中惴惴不安，疑想他昨天晚間會不會遭了意外的襲擊。這時車門已閉，汽笛作聲，車子緩緩地動了。

我覺得那個意大利老人是個不錯的旅行伴侶

在這個當兒，忽然聽見有人說道：「我親愛的華生，你還沒有向我道早安哩。」

我愕然回頭。那老教士也轉頭向我。他那佈滿皺紋的臉，竟一變而為腴潤；鼻子也變高挺了，外突無色澤的雙唇，也已恢復；遲鈍的眼睛，忽也閃閃有光了，原來是福爾摩斯。我呼道：「天啊！你嚇死我了！」他低語道：「我們仍當靜以戒備。據我揣度，他們可能追隨於後呢。你瞧，那邊果然是莫理亞提來了。」

福爾摩斯說此話時，那車子已發動了。我回頭見窗外，有一個很高的人，排衆而前，揮動他的手，好像要叫那司機停車的樣子。但太遲了，因我們的車已經加速，不一會，已離開車站。

福爾摩斯笑道：「還好我們戒備周密，得以順利脫身了。」他把假扮教士的黑色衣冠卸除下來，裝入一個手提箱之中。問道：「華生，你讀過晨報了嗎？」「還沒有。」「那麼，你知道貝克街的事嗎？」「貝克街？」他道：「昨夜，我們的屋子竟失火了。好在不到一刻便撲滅了。」「福爾摩斯啊！他們下此毒手，我們是決不能容忍的。」

「那持棒襲擊的人被捕獲之後，他們就不知道我的行蹤。否則，他們不會以爲我已回到自己的屋中去了。我雖得免於禍，但他們恐已監視你了。不然，那莫理亞提怎會出現於維多利亞車站呢？你難道行動有所疏漏，被人發現了？」我道：「今天的事，完全遵照你的命令而行的。」「有馬車等候你嗎？」「有的。」「你認識那個馬夫嗎？」「不認識。」「那是我哥哥梅格勞甫。他對我所辦理的案件幫助很多。我們此刻還要想出一個應付莫理亞提的方法。」

「如今危禍既然接續而來，我們不可不想個有效的法子來制伏他們。」

「我親愛的華生，你要知道這個人善於計謀，和我不相上下。倘使我今天易地而處，我也決不因稍微有阻礙便罷休的。」我道：「你如果是他，將有什麼動作？」「專車追襲。」「但也太遲了。」他道：「那不要緊。火車是停在坎特布里的。照例會停留一刻鐘才會再度開動，他不難在那裡追到的。」「但我們正可乘他來時，設法把這罪人捕獲。」「照你這樣做，那麼我三個月來的苦心就白費。因罪魁雖得，其餘的黨徒卻都逃逸。還是不要逮捕他，待至下星期一，一網打盡的爲妙。」

「如今我們要怎樣做呢？」「我們且到坎特布里。」「到了又怎樣呢？」「我們可去紐海芬和埃狄普旅行，那時莫理亞提必定到巴黎去，花兩天的工夫坐守我們的行李。我們不妨捨棄行囊，好在我們旅行所到的地方，儘可重行採買。乘此餘暇，我們可經盧森堡和巴塞爾，一遊瑞士。」

我已習慣於旅行，所以對捨棄行李不以爲意。但我被暴徒所窘，趨避不及，那是很可恥的。但一想到福爾摩斯的見識總勝我一籌，我也無所疑異了。到了坎特布里，我們就下車。尚需等待一小時，才能搭乘往紐海芬的火車。

我正看到那輛載著我們衣服的行李車迅速地駛去，忽地福爾摩斯拉著我的衣袖，以手指著道：「你瞧。」

遠見一縷白煙從林隙中升起。一會，有一輛專車駛來，車頭先到車站。我們那時急不暇擇，便躲在一堆行李的後面，容那車軋軋地向前而去。這時我們的臉被那熱汽薰蒸，感覺很難受。

福爾摩斯道：「他將往目的地去了。此番確乎智出人下。我們各憑著推想的能力演成這齣把戲，眞是有趣啊！」我道：「他假使果眞遇到了我們，將怎麼辦呢？」「他必定會殺死我們，且據我料想，他此行絕對與別人合謀的。現在有一個問題必先解決，就是我們先在此進餐呢？還是枵腹到紐海芬才進餐？」

這夜我們到了布魯塞爾，休息了兩天，第

三天就到史特拉斯堡。星期一早晨，福爾摩斯急忙打一通電話給倫敦警察局，晚間，回覆已到我們所住的旅館中。當時福爾摩斯開了信封，邊讀邊咒罵著，最後竟投之於火。

他哼了一聲音道：「我本來就知這人狡詐，今天還是被他逃跑了！」我道：「莫理亞提逃走了嗎？」「黨徒全被拘獲，他卻獨自脫逃。眞沒想到我離開倫敦，竟沒有一個人能制伏他。這麼容易的事都不會，可歎！可歎！華生，爲今之計，你還是回英國去吧。」我道：「什麼緣故呢？」他道：「我會連累你。這人的巢窟既已破毀，就表示他已失卻倫敦的根據地了，他必傾全力來找我報仇。以他之前和我的短暫談話，我已測出他的用意了。所以我勸你還是回去，依舊行醫爲妙。」

這事我恕難從命，因我和他是多年的老友，決不能半途相棄。我和他辯論了半個鐘頭，當夜我們仍繼續旅行，一同赴日內瓦。

我們循隆河而行，一星期後到了洛伊克，轉入傑密山，見山上積雪很厚。後來又經英透萊克，到麥林根。這回旅行，眞是有趣極了。滿地綠蕪，已饒春色，山頭殘雪，還保留些許冬意。那是多麼可愛啊！福爾摩斯這時雖很愉快，但仍謹愼戒懼，在偏僻的地方，見了人影，必注意瞧察。

有一次，我們行經傑密山時，忽有一塊大石從山脊下墮，又轉落湖中，離我們站立的地方很近。福爾摩斯便急馳登高，瞧察有什麼變故。但據我們嚮導的人說，在這個地方，春季墮石，是很平常不以爲奇的。他聽了似不相信，但默不作聲，只向我微笑，似表示他所料想的事情，都將實現了。

在五月三日，我們就到了麥林根，住在英吉利旅館。主人彼德司戴勒心思很敏銳，說著一口好英語，從前曾在倫敦格路司凡納旅館做過三年的侍役。四日的下午和晚間，我們坐著沒事，他就把該地的勝景講給我們聽，什麼小山啦、路遜利小村啦，毫無遺漏地都講遍了。後來又講到半山腰的萊亨巴哈瀑布，該處地勢險要，凡到這個地方，不可不小心。

這的確是個可怕的地方。水勢湍急，初融的雪，又隨著流下，流到一個深壑裡，遠望有如煙霧一般，水流經的地方成了深峽，兩旁崖石都是黑色，像煤塊般的很有光澤，峽水怒吼般地響著，使人都昏暈了。我們站在一處，低垂著頭瞧那湍水衝在黑石上。遊人到了這裡，無路可前進，只能退回去。我們正要退回，忽聽見有人呼喚的聲音，從那深壑裡傳來。

我們向那小徑找去，後來發現一個瑞士少年，手裡持著一封信，信封上印著旅館的印，一望可知是旅館主人發的。那信中說，我們動身後不到幾分鐘，突然來了一個英國婦人。這婦人患肺癆病已很嚴重了，去年冬天她在達渥斯·普拉斯養病，現在想到盧塞恩訪友。不料忽然咳血，在數小時內會有生命的危險。她很希望有一個英國醫生替她診治，倘若我能回去就太好了。她不要瑞士醫生診斷，所以旅館主人不得不盡主人的責任，遣人來請求。

這個請求是義不容辭的。並且又是同胞，豈能聽她客死異地。所以我就辭別了福爾摩斯，逕自回去，只留那瑞士少年在此，作為他的伴侶和引導。那時我友正站立在瀑布的旁邊，說他將緩步山徑，到路遜利村去，今晚他決定住在那裡。我走了半晌，還回頭見福爾摩斯倚立在石旁，交臂於胸前，俯瞰那飛瀉的水。不料從此之後，竟再也沒有見到他了。

我走到山麓，在斜坡上回望瀑布，已杳不可見。但看到那山肩的曲徑間有一個人行走匆忙。因爲被繁枝老葉所遮隱了，模樣並沒有看清楚，他走過後我也不很在意。

約一小時左右，我就到了麥林根。那旅館主人正站在旅館的門口。我急趨前道：「她的病沒有加劇吧？」他聽了我的話，愕然不知所對，只轉動褐色的眸子，向我瞧著。

我就從袋裡取出那封信來說道：「你沒有寫這封信嗎？這裡沒有抱病的英國婦人住在旅館中嗎？」

他嚷道：「沒有這一回事。可是信封上有我旅館的印記，這又奇了！哦！我想到了。你們走後，就來了一個很高的英國人，大概是他寫的了。」

這時我知道有變。心中驚惶得不得了，不敢逗留，逕趕原路而去。我大約耗了兩小時才到萊亨巴哈瀑布前。只見福爾摩斯的手杖斜倚在亂石的旁邊，其餘一無所見。我引吭喊了一陣，除了空谷回聲外，竟沒有人應我。

我見了這種景象非常驚恐。他的手杖既在這裡，可知他沒有到路遜利去。這裡的小徑，寬只三呎，山壁峭立，非常險峻，大概他被仇人襲擊了。那瑞士少年也不見影蹤，這分明是莫理亞提的遣使。誰料得到他竟有如此的遭遇呢？

我幾乎被這事嚇暈了。但還強自鎮靜，沿路巡察，那跡象更覺明顯。當我們話別的時候，那條山徑還沒有走盡，現今這倚杖的所在，就是這個地方了。這地方土壤略帶黑色，因爲那飛瀑的濺沫被風吹著，那裡便沒有乾燥的時候，雖是小鳥踏在上頭，也會留下一個很清楚的足印。我望著前路，果在那濕軟的泥徑上發現了兩行足跡。那足跡到小徑的盡端爲止，並沒回來。在那距盡端不到幾碼遠的地方，泥上足印更亂，似有人亂踐過一般，石縫中的細枝和鳳尾草也折斷了不少。我伏在地上向下面俯視，飛沫濺滿我的上身。這時天色已昏暗，除了濕壁和斷流發出微光以外，其他什麼都看不到。我又引吭喊著，卻只有瀑布的回音。

我料想我的朋友臨了必有遺言，所以我又找回那倚杖的亂石旁去。在那石柱的頂上，竟有一物觸我眼簾，我就舉手把那東西取下來，原來是他常用的銀製煙盒，打開之後竟有一張很方正的小紙掉下地上。我拾起一瞧，是從日記簿上撕下來的三頁，特地寫給我的，雖事起倉卒，他仍寫得很整齊，很明瞭，因此可見他的個性了。

他的信道：「我親愛的華生，在此急迫之際，寫此數行，作爲我們最後的通訊，這還是得莫理亞提先生的所賜呢。他已向我概述如何逃脫英國警察之手，追蹤到此。現在他要和我在此作最後的決鬥。我今天若能爲社會除害，是再愉快也沒有了。但只恐兩敗俱傷，葬身嚴壑，那是親友們都會痛悼的。我親愛的華生，你更要爲我抱無涯之戚哩。此行我很戒備小心，我已向你說過了。但我不立刻道破他們詭計的原因，是我要一瞧他們究竟有何種舉動。你替我告知偵探長佩特生，那幫惡徒的罪證我都貯藏在寫字檯中，以藍色的封函標著『莫理亞提』。至於我的財產，當我離開英國時，早已交給我哥哥梅格勞甫了。我祝福你，也請你代我問候華生太太。歇洛克・福爾摩斯上」

這幾句話，足堪紀念了。後來經偵探家勘測，說他們倆一開始可能是扭打在一起，相持不下，後來一塊兒墮下，一同殞落旋渦怒湍中了，從此厲魄英魂都隨著逝水流走。那瑞士少年也不再出現，這一定是莫理亞提的爪牙無疑。福爾摩斯所積貯的文據，都足以揭露暴徒們的罪狀，並且對他們黨魁的劣跡也揭發無遺。

福爾摩斯之死

我現在因為那個沒見識的辯護律師，想要替那巨兇洗刷罪名，卻中傷了我所敬愛的智勇雙絕的同伴，因此不得不把當時的事實披露出來，以便讓大眾知道眞相。

眞相大白

附錄一

眞實與虛幻之間——柯南·道爾與福爾摩斯

「倫敦的貝克街上，一個肩掛照相機的遊客在抬頭找尋門牌。商業大廈管理員白拉斯見了便說：『又來了一個。』果然那遊客在門外止步，略一猶豫，然後推門而入，走到擺在大堂的辦公桌前，面帶困惑的神情向白拉斯問路：『我想找二百二十一號B座福爾摩斯的住宅。』

這已是當天的第十二次，白拉斯重複解釋二一九號到二三三號歷來是阿比國民房屋協會的會址，並非福爾摩斯和華生住宅……每星期都有大堆信件寄給二百二十一號B座福爾摩斯收。郵局總是負責地把這些信件交給阿比國民房屋協會，由協會客氣地簡覆：『收信人已遷，現址不詳。』」（註一）

福爾摩斯這個角色誕生至今已有一百一十年。對於全世界無數的福爾摩斯迷來說，他們絲毫不會懷疑他存在的眞實性。自從柯南·道爾一八八七年賦予他生命之後，這個身材瘦削、有著鷹鉤鼻、頭戴獵帽、肩披風衣、口啣煙斗的人就永遠活在人們的心中。

這個角色創造之初，其實並沒受到太多的關注。一八八六年，柯南·道爾完成了《血字的研究》(A Study in Scarlet)之後，曾寄給「康希爾」雜誌，可是該雜誌並沒有意願刊登。之後，又轉寄了幾家出版社，仍不被採用。最後才由渥德．洛克公司買下，在一八八六年「比頓雜誌耶誕特刊」上發表，並於第二年出版單行本。全世界的福爾摩斯迷大概很難想像，他們心目中的大英雄的問世竟是如此一波三折。

柯南．道爾到底有什麼本事能夠創造出一個這樣活靈活現、家喻戶曉的大偵探呢？要瞭解這一點，必須從他的生長背景講起。

柯南．道爾(Arthur Conan Doyle, 1859~1930)出生於蘇格蘭的愛丁堡。從小就對文學有濃厚的興趣。一八七〇年進入隸屬耶穌會的史東尼赫斯特(Stonyhurst)學院就讀(該校是全英國最著名的耶穌會學校)。一八七六年(十七歲)進入愛丁堡大學醫學院就讀。這些求學的過程，對他日後的創作影響深遠。尤其是醫學院強調歸納分析的方法，以及辨識疾病細微差異的臨床訓練，成就他塑造一個以科學方法辦案的偵探。在這段求學期間，他也遇到了一個對他影響至深的人——約瑟夫．貝爾教授(Dr. Joseph Bell)。這位教授在愛丁堡醫學院相當有名，很受學生的喜愛。他有一種特殊的能力，能立刻對一個素未謀面的病人斷出病症，並說出問診病人的職業、個性、生活習慣，以及曾在那裡服役，隸屬什麼兵團等。柯南．道爾對他這種「神奇」的能力相當著迷。而這位貝爾教授也就成了福爾摩斯的原型。柯南．道爾曾回憶到：

加博里歐(Gaboriau)（註二）的作品在處理情節的轉折處不留痕跡，相當吸引我。愛倫·坡筆下那位能幹的杜賓偵探從小就是我的偶像。但是，我是否可能來點特別的呢？我想到了我的老師貝爾。想到他瘦削如鷹的臉龐，他那奇妙的方法，以及對於事情細節一語道破的驚人能力。如果他是一名偵探，一定能將這個迷人，卻欠缺章法的事業導入精確的科學之路。我想試試看是否能夠達到這種效果。在現實生活中都有可能的事，我爲何不將它帶入小說中呢？（註三）

在《血字的研究》中，貝爾教授的影像清晰地浮現。當福爾摩斯初次見到華生時就說：「我瞧你到過阿富汗。」這點著實讓華生感到驚訝。華生也形容福爾摩斯：「……身高在六呎以上，因爲過分瘦削，顯得頎長無比……他那細長如鷹喙般的鼻子，顯示他機警果斷……。」

一八八一年，柯南·道爾取得了醫師的資格，在一艘貨輪上擔任隨船醫生。次年，開始自己執業。雖然從事醫務工作，但是他仍對文學創作充滿熱情。此時他開始嘗試偵探小說的創作。除了以貝爾爲原型創作出福爾摩斯之外，爲了推動劇情的發展，他也安排了一個福爾摩斯的最佳拍檔——華生醫生。這個角色的塑造具有相當的意義。他不僅發揮了綠葉陪襯紅花的效用，也似乎產生了一些非預期的結果。這位醫生是福爾摩斯的好友，也可以說是他的助手，他與福爾摩斯經歷相同的事情，卻不像福爾摩斯具有敏銳的觀察與推斷能力（甚至有些遲鈍），因此福爾摩斯得以透過與華生的對話，將他的觀察與推理過程告知讀者，然後由華生以第一人稱的方式講述出來（除了「獅鬣」（The Lion's Mane）、「爲祖國」（His Last Bow）……等篇外）。這種第一人稱的敍述方法，讓讀者很容易地就進入了作者所鋪陳出的情境中。此外，華生這個醫生的身份與柯南·道爾具有高度的重疊性，讀者在閱讀的過程中很容易就把華生等同於柯南·道爾。如此一來就增加了故事的可讀性與可信度。因爲在讀者看來，柯南·道爾是在向大家講述一個與「他的朋友」所共同經歷的眞實故事。再加上他們就住在倫敦貝克街二百二十一號B座（眞有此住址），也過著典型的維多利亞女王時代的生活：坐著大家熟悉的兩輪或四輪馬車出沒於倫敦街頭，有一個女房東兼管家婦負責幫他們傳遞來訪者的名片並引見客人，每天都閱讀「每日電訊報」，有時會去劇院欣賞音樂或看賽馬，遇到急事則去電報局發電報……。凡此種種，難怪讀者會這麼相信福爾摩斯與華生是眞有其人，彷彿走在倫敦的街道上，隨時都可能與他們擦身而過。

由於角色塑造的成功，故事情節懸疑緊湊，使得福爾摩斯探案受到了大家的肯定。一八八九年柯南·道爾繼續發表了第二個長篇《四簽名》（The Sign of Four），獲得了熱烈的迴響。不過他的醫生生涯卻不像他的文學生涯一般順利。他在倫敦的眼科診所門可羅雀，許多作品是他在診療室中完成的。這種窘境促使他在一八九一年決定棄醫從文，專心從事文學創作。

貝爾雖是福爾摩斯的原形，但他決非福爾摩斯的全部。因爲柯南・道爾本身的部分特質也融入其中。由於醫學院的訓練，使得他具備敏銳的分析推理能力，因此對於劇情的鋪陳與推理毫無困難。再加上從小母親就教育他要守法，尊重正義，培養他具備騎士的精神，所以他自然也會把這些精神注入他所創作的角色當中，福爾摩斯和華生都分享了這些特質。他們兩人在劇中協助警方打擊不法，幫助弱小與婦女，或者基於榮譽感與愛國心爲政府效命（例如在「爲祖國」一劇中幫助英國政府破獲德國間諜一案）等，這些正是騎士精神（或者可說是英國紳士精神）的具體展現。

福爾摩斯探案的成功，使得柯南・道爾名利雙收，約稿源源不斷。然而他開始厭倦不停地寫福爾摩斯，他抱怨福爾摩斯佔據他太多的時間，甚至把他的心靈從美好的事物中攫走。因爲柯南・道爾其實更喜歡寫歷史小說（註四）。一八九三年，他寫了「最後問題」(The Final Problem)，讓福爾摩斯與他的死對頭莫理亞提教授（Professor Moriarty)雙雙墜落瑞士的萊亨巴哈瀑布(Reichenbach Falls)中。柯南・道爾覺得鬆了一口氣，終於可以擺脫這個麻煩的公衆英雄，全心投入自己更喜歡的文學創作。不過福爾摩斯的死訊一宣布之後卻引發了讀者的錯愕與抗議(就連作者的母親也提出了抗議)。超過兩萬人取消訂閱連載福爾摩斯的「河濱」雜誌(Strand)，許多人傷心地爲福爾摩斯服喪以示哀悼，甚至有位女士還非常沒禮貌地寫信去指責他，劈頭就罵：「你這個殘忍的畜生！」這種種激烈的反應恐怕連作者都始料未及。儘管如此，柯南・道爾仍不爲所動。直到一九〇三年柯南・道爾才又讓他在「空屋」(The Empty House)一案中戲劇性地復活，重新展開他驚險、刺激的偵探生涯。

柯南・道爾傾畢生之力創作福爾摩斯的系列故事，總共寫了四個長篇，五十六個短篇。在故事的終了，他並沒有明確地交待福爾摩斯的最後去處，只是從故事中我們可以知道，福爾摩斯後來歸隱蘇薩克斯做「養蜂學」的研究。這樣的安排，對於廣大的福爾摩斯迷來說當然是很難接受的。許多人自圓其說地認爲，福爾摩斯明的是去做研究，暗地裡則是轉而爲英國情報局效命了。所以在「爲祖國」一案中可以發現福爾摩斯又重現江湖了！這種說法究竟是讀者一廂情願的解釋，或者果眞如此，其實已沒有深究的必要了。因爲誰會願意殘忍地去戳破心目中的夢想呢？不論如何，可以肯定的是，自從「空屋」一案奇蹟似地復活之後，福爾摩斯與華生就永遠地生活在濃霧彌漫的倫敦城中了。因爲就如一位研究福爾摩斯的學者史塔列特所言：「在烏有之鄉，在幻想的心裡，福爾摩斯和華生兩人，爲了愛他們的人永生不死。」

註釋

一　摘錄自一九七三年四月號的《讀者文摘》，頁一〇三—一〇四。

二　加博里歐（Gaboriau, Emile, 1823?～1873），法國的小說家，有法國的愛倫‧坡之稱。

三　本段文字摘譯自 Hodgson, John A., (eds.) *Sherlock Holmes: The Major Stories with Contemporary Critical Essays.* Boston: Bedford Books, 1994 (p.4)

四　柯南‧道爾的一部歷史小說《白衣團》(The White Company)，曾有人讚美它是自《艾凡侯》（亦有譯爲《薩克遜英雄傳》）(Ivanhoe)以來最好的歷史小說。

附錄二

柯南·道爾(Arthur Conan Doyle)年譜

一八五九年　五月二十二日生於蘇格蘭的愛丁堡。

一八七〇年　進入隸屬於耶穌會的史東尼赫斯特(Stonyhurst)學院就讀。該校是全英國最著名的耶穌會學校。

一八七五年　完成史東尼赫斯特學院的學業，至奧地利的耶穌會學校留學一年。

一八七六年　進入愛丁堡大學的醫學院就讀，在那裡他遇到了對他影響深遠的約瑟夫·貝爾(Dr. Joseph Bell)老師——他就是福爾摩斯的原型。

一八八一年　大學畢業後，在一艘非洲西岸航線的客貨輪上擔任隨船醫生。

一八八二年　開始執業。

一八八五年　與露薏絲·霍金斯(Louise Hawkins)小姐結婚。

一八八六年　完成福爾摩斯探案的第一個長篇《血字的研究》。寄給「康希爾」雜誌，可是該雜誌沒有意願刊登。最後由渥德·洛克公司買下，在「比頓雜誌耶誕特刊」上發表。

一八八七年　《血字的研究》單行本發行。
一八八九年　發表福爾摩斯探案的第二個長篇《四簽名》。
一八九〇年　發表歷史小說《白衣團》(The White Company)。曾有人讚美這部作品是自《艾凡侯》(Ivanhoe)以來最好的歷史小說。
一八九一年　去維也納研讀眼科學。隨後在倫敦開設眼科診所，但生意清淡。決定棄醫從文，專心從事文學創作。
一八九二年　將發表的十二個福爾摩斯探案短篇故事，集結成第一個短篇《冒險史》。
一八九三年　妻子露薏絲罹患肺結核。
在「最後問題」一篇中宣布了福爾摩斯的死訊。暫時結束有關福爾摩斯的創作。
一八九四年　將之前陸續發表的十一個短篇故事，集結成第二個短篇《回憶錄》。
一八九七年　認識琴·賴基(Jean Leckie)小姐，並墜入情網。
一九〇〇年　赴南非，以軍醫的身分參加布爾戰爭(Boer War)。並發表作品《大布爾戰爭》。
一九〇二年　受封騎士爵位。
發表福爾摩斯探案的第三個長篇故事《古邸之怪》。

一九〇三年　由於廣大讀者的要求，福爾摩斯在「空屋」一案中復活了！

一九〇五年　出版福爾摩斯探案的第三個短篇故事集《歸來記》。

一九〇六年　妻子露薏絲去世。

一九〇七年　與琴．賴基小姐結婚。

一九一五年　出版福爾摩斯探案的最後一個長篇《恐怖谷》。

一九一六年　宣布轉向性靈學的研究。

一九一七年　出版福爾摩斯探案的另一個短篇故事集《爲祖國》。

一九一八年　出版《新啓示錄》(The New Revelation)一書。此書是柯南．道爾轉向研究形而上學之後，有關這方面的第一本著作。

一九二七年　出版福爾摩斯探案的最後一個短篇故事集《福爾摩斯個案紀錄》。

（編者案：本局將最後的兩個短篇故事集合併成本系列故事的最後一個短篇《新探案》。）

一九三〇年　七月七日與世長辭。

參考書目

中文部分

呂美玉　〈永生不死的福爾摩斯〉，中國時報四十三版，一九九七年二月十六日。
黃永林　《中西通俗小說比較研究》，臺北：文津，一九九五年。
彼德・布朗恩(Peter Browne)　〈福爾摩斯永在人間〉，《讀者文摘》四月號，一九七三年。
林　瀅　〈「偵探小說迷」倫敦朝聖（上）〉，《推理雜誌》一五一期，一九九七年。
范伯群　《偵探泰斗——程小青》，臺北：業強，一九九三年。
徐淑卿　《民國通俗小說鴛鴦蝴蝶派》，臺北：國文天地，一九八九年。
程盤銘　〈推理小說重現江湖〉，中國時報四一版，一九九七年九月十八日。
〈福爾摩斯是如何創造出來的？〉，《推理雜誌》一四六期，一九九六年。
〈福爾摩斯探案中的社會背景〉，《推理雜誌》一四七期，一九九七年。
〈福爾摩斯之前應用推理法的前輩們〉，《推理雜誌》一四八期，一九九七年。
〈福爾摩斯探案與偵探小說的定型〉，《推理雜誌》一四九期，一九九七年。

〈福爾摩斯的行業：私家偵探〉，《推理雜誌》一五〇期，一九九七年。
〈福爾摩斯探案在偵探小說中的地位〉，《推理雜誌》一五一期，一九九七年。
〈福爾摩斯年譜〉，《推理雜誌》一五二期，一九九七年。
〈福爾摩斯偵探術〉，《推理雜誌》一五三期，一九九七年。
〈福爾摩斯與公家警察〉，《推理雜誌》一五五期，一九九七年。
〈福爾摩斯的俠義精神和越權行爲〉，《推理雜誌》一五四期，一九九七年。
〈抬舉福爾摩斯成名的選手們〉，《推理雜誌》一五六期，一九九七年。
〈福爾摩斯探案的「眞經」與「僞經」〉，《推理雜誌》一五七期，一九九七年。
〈福爾摩斯探案中的「中國」〉，《推理雜誌》一五八期，一九九七年。
新潮推理編輯室　〈偵探小說的開拓者……柯南・道爾〉，臺北：志文，一九九五年。
〈柯南・道爾的生平與其作品〉，臺北：志文，一九九五年。
〈家喻户曉的福爾摩斯〉，臺北：志文，一九九五年。
〈柯南・道爾年譜〉，臺北：志文，一九九五年。
鄭麗園　〈貝克街二二一號〉，《英國女王有請！》，臺北：聯經，一九九六年。
盧郁佳　〈百分百死亡遊戲〉，聯合報四五版，一九九七年十月二十七日。
魏紹昌　《我看鴛鴦蝴蝶派》，臺北：商務，一九九五年。

英文部分

Doyle, Arthur Conan　Great Works of Sir Arthur Conan Doyle. New York: Chatham River Press, 1984.

Hodgson, John A., Editor　Sherlock Holmes: The Major Stories with Contemporary Critical Essays. Boston: Bedford Books of St. Martin's Press, 1994.

國家圖書館出版品預行編目資料

回憶錄 / 柯南・道爾原著；程小青等譯.
-- 修訂一版 . -- 臺北市 : 世界 , 1997〔民 86〕
面； 公分 -- (福爾摩斯探案全集)
譯自：The memoirs of sherlock holmes
ISBN 957-06-0173-6 (平裝)

873.57　　　86015778

福爾摩斯探案全集

回憶錄

作　者／柯南・道爾
譯　者／程小青等
修訂整理／世界書局編輯部
發行人／閻　初
發行者／世界書局
登記證／行政院新聞局局版臺業字第〇九三一號
地　址／台北市重慶南路一段九十九號
電　話／(〇二)二三一一〇一八三
傳　真／(〇二)二三三一七九六三
郵撥帳號／〇〇〇五八四三―七　世界書局
印刷者／世界書局
出版日期／一九二七年初版一刷
　　　　　一九九七年十二月修訂一版一刷
定　價／一九〇元

722 -
2929

世界書局股份有限公司 §讀者意見卡§

為瞭解讀者對本公司出版品的意見，以提供更好的閱讀品質與讀者服務，請您詳填本卡，寄回世界書局(免貼郵票)，我們將不定期提供最新出版訊息及各項優惠。

姓名：＿＿＿＿＿＿＿＿ 性別：＿＿＿＿ 出生日期：＿＿年 ＿＿月 ＿＿日

電話：(H) ＿＿＿＿＿＿＿＿ (O) ＿＿＿＿＿＿＿＿ 傳真：＿＿＿＿＿＿＿＿

聯絡地址：＿＿＿＿＿＿＿＿＿＿＿＿＿＿＿＿＿＿＿＿＿＿＿＿

永久地址：＿＿＿＿＿＿＿＿＿＿＿＿＿＿＿＿＿＿＿＿＿＿＿＿

教育程度：□國中以下 □高中職 □專科 □大學 □研究所以上

職業：□學生 □教師 □公務員 □軍警 □製造業 □金融業 □銷售業 □資訊業 □大眾傳播 □自由業 □服務業 □其他＿＿＿＿＿＿

閱讀偏好：□文學類 □史學類 □哲學類 □科學類 □藝術類 □傳記類 □語文類 □財經類 □政治類 □休閒類 □其他＿＿＿＿＿＿

您較常閱讀的報紙：1.＿＿＿＿＿＿ 2.＿＿＿＿＿＿ 3.＿＿＿＿＿＿

您較常收聽的電台：1.＿＿＿＿＿＿ 2.＿＿＿＿＿＿ 3.＿＿＿＿＿＿

您對本公司的建議、期望……

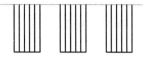

廣 告 回 信
北區郵政管理局登記證
北台字 6875 號
免 貼 郵 票

1 0 0

台北市重慶南路一段 99 號 6 樓

世界書局股份有限公司 收

謝謝您購買本書！您對本書的寶貴意見將是我們未來出版的最佳參考！

購買書名：____________________ 購買日期：______________

購買動機：□封面設計 □內容題材 □作者知名度 □書名 □促銷廣告 □媒體介紹 □其他

如何得知本書：□逛書店 □報紙廣告 □廣告信函 □廣播節目 □電視節目 □報章雜誌介紹 □親友介紹 □其他

您對本書的意見：

1.內容題材 □滿意 □尚可 □需改進

2.封面設計 □滿意 □尚可 □需改進

3.編排設計 □滿意 □尚可 □需改進

4.裝訂印刷 □滿意 □尚可 □需改進

5.文字校對 □滿意 □尚可 □需改進

6.其他意見 ____________________________